수능특강 Q
미 니 모 의 고 사

사회탐구영역 | 생활과 윤리

KB214261

본 교재의 강의는 TV와 모바일, EBS*i* 사이트(www.ebsi.co.kr)에서 무료로 제공됩니다.

발행일 2021. 2. 10. **1쇄 인쇄일** 2021. 2. 3. **신고번호** 제2017-000193호
펴낸곳 한국교육방송공사 경기도 고양시 일산동구 한류월드로 281
기획 및 개발 EBS 교재 개발팀
표지디자인 디자인싹 **편집** 신흥이앤비 **인쇄** ㈜재능인쇄
인쇄 과정 중 잘못된 교재는 구입하신 곳에서 교환하여 드립니다.

정답과 해설은 EBS*i* 사이트(www.ebsi.co.kr)에서 다운로드 받으실 수 있습니다.

| 교재
내용
문의 | 교재 및 강의 내용 문의는 EBS*i* 사이트
(www.ebsi.co.kr)의 학습 Q&A 서비스를
활용하시기 바랍니다. | 교재
정오표
공지 | 발행 이후 발견된 정오 사항을 EBS*i* 사이트
정오표 코너에서 알려 드립니다.
EBS*i* 사이트 ▶ 교재 ▶ 교재 정오표 | 교재
정정
신청 | 공지된 정오 내용 외에 발견된 정오 사항이
있다면 EBS에 알려 주세요.
EBS*i* 사이트 ▶ 교재 ▶ 교재 정정 신청 |

쏟아지는
무수한
교재 속
역시 진짜는 EBS

성능 확실한 수능특강 연계
완전 정복 커리큘럼

수능특강

전영역

교육과정과 최신 수능을 반영한 핵심 내용 제시
수능 시험을 대비하는 수험생이라면 꼭 봐야 할 교재

수능특강 사용설명서

국·수·영·한·사·과

진짜가 만든 진짜 분석집
수능특강을 공부하는 가장 쉽고 빠른 방법

수능특강 연계 기출

국어·영어

수능특강과의 완벽한 시너지
수능특강 지문과 유사도가 높은 기출문제 선별 수록

수능연계교재의
VOCA 1800 · 국어 어휘

국어·영어

어휘로 판가름 나는 수능 등급
연계교재의 어휘 학습을 한 권으로 완성

수능특강 Q

미니모의고사

사회탐구영역 | 생활과 윤리

이 책의 **구성과 특징**

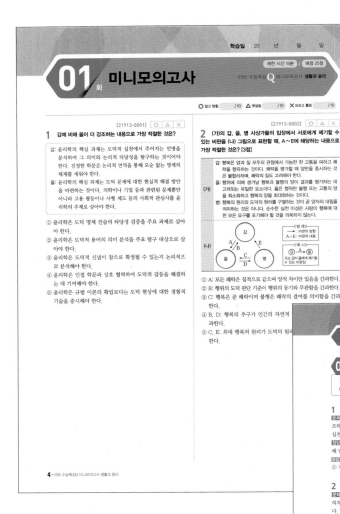

- 한국교육과정평가원이 감수한 과년도 EBS 수능 연계교재의 우수 문항을 선제하여 미니모의고사 형태로 구성하였습니다.
- 제한 시간 내에 문제를 푸는 연습을 통해 실전에 대비할 수 있습니다.
- 문항에 따라 배점이 다릅니다. 3점 문항에는 점수가 표시되어 있고, 점수 표시가 없는 문항은 모두 2점입니다.

학습자 스스로 문제의 핵심을 파악할 수 있도록 명확한 해설을 제공합니다. 잘 풀리지 않는 문제는 해설을 통해 확실히 이해할 수 있습니다.

이 책의 **차례**

※ 미니모의고사 학습 계획을 세우고 매일 실천해 보세요!
※ 풀이 시간과 틀린 문항을 정리해 복습에 활용하세요!

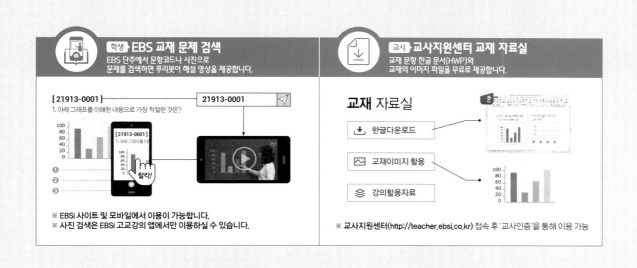

학생 EBS 교재 문제 검색
EBS 단추에서 문항코드나 사진으로
문제를 검색하면 푸리봇이 해설 영상을 제공합니다.

[21913-0001]
1. 아래 그래프를 이해한 내용으로 가장 적절한 것은?

21913-0001

※ EBSi 사이트 및 모바일에서 이용이 가능합니다.
※ 사진 검색은 EBSi 고교강의 앱에서만 이용하실 수 있습니다.

교사 교사지원센터 교재 자료실
교재 문항 한글 문서(HWP)와
교재의 이미지 파일을 무료로 제공합니다.

교재 자료실

한글다운로드

교재이미지 활용

강의활용자료

※ 교사지원센터(http://teacher.ebsi.co.kr) 접속 후 '교사인증'을 통해 이용 가능

01 회 미니모의고사

○ 알고 맞힘   /10   △ 헷갈림   /10   ✕ 모르고 틀림   /10

[21913-0001] ○ △ ✕

1 갑에 비해 을이 더 강조하는 내용으로 가장 적절한 것은?

> 갑: 윤리학의 핵심 과제는 도덕적 실천에서 주어지는 언명을 분석하여 그 의미와 논리적 타당성을 탐구하는 것이어야 한다. 진정한 학문은 논리적 연역을 통해 모순 없는 명제의 체계를 세워야 한다.
>
> 을: 윤리학의 핵심 과제는 도덕 문제에 대한 현실적 해결 방안을 마련하는 것이다. 의학이나 기업 등과 관련된 문제뿐만 아니라 고용 평등이나 사형 제도 등의 사회적 관심사를 윤리학의 주제로 삼아야 한다.

① 윤리학은 도덕 명제 진술의 타당성 검증을 주요 과제로 삼아야 한다.

② 윤리학은 도덕적 용어의 의미 분석을 주요 탐구 대상으로 삼아야 한다.

③ 윤리학은 도덕적 신념이 참으로 확정될 수 있는지 논리적으로 분석해야 한다.

④ 윤리학은 인접 학문과 상호 협력하여 도덕적 갈등을 해결하는 데 기여해야 한다.

⑤ 윤리학은 규범 이론의 확립보다는 도덕 현상에 대한 경험적 기술을 중시해야 한다.

[21913-0002] ○ △ ✕

2 (가)의 갑, 을, 병 사상가들의 입장에서 서로에게 제기할 수 있는 비판을 (나) 그림으로 표현할 때, A~E에 해당하는 내용으로 가장 적절한 것은? [3점]

(가)	갑: 행복은 양과 질 모두의 관점에서 가능한 한 고통을 피하고 쾌락을 향유하는 것이다. 쾌락을 평가할 때 양만을 중시하는 것은 불합리하며, 쾌락의 질도 고려해야 한다. 을: 행위에 의해 생겨날 행복과 불행의 양이 결과를 평가하는 데 고려되는 유일한 요소이다. 옳은 행위란 불행 또는 고통의 양을 최소화하고 행복의 양을 최대화하는 것이다. 병: 행복의 원리와 도덕의 원리를 구별하는 것이 곧 양자의 대립을 의미하는 것은 아니다. 순수한 실천 이성은 사람이 행복에 대한 모든 요구를 포기해야 할 것을 의욕하지 않는다.
(나)	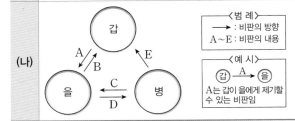

① A: 모든 쾌락은 질적으로 같으며 양적 차이만 있음을 간과한다.

② B: 행위의 도덕 판단 기준이 행위의 동기와 무관함을 간과한다.

③ C: 행복은 곧 쾌락이며 불행은 쾌락의 결여를 의미함을 간과한다.

④ B, D: 행복의 추구가 인간의 자연적 경향성에 위배됨을 간과한다.

⑤ C, E: 최대 행복의 원리가 도덕의 원리가 될 수 없음을 간과한다.

3 갑, 을 사상가들의 입장으로 옳은 것은? [3점]

> 갑: 현자(賢者)는 삶을 도피하려고 하지 않으며, 죽음을 두려워하지도 않는다. 우리가 존재하는 한 죽음은 우리와 함께 있지 않으며, 죽음이 오면 이미 우리는 존재하지 않기 때문이다. 죽음은 산 사람이나 죽은 사람 모두와 아무런 상관이 없다.
>
> 을: 진인(眞人)은 삶을 즐겁다 할 줄도 모르고 죽음을 싫다 할 줄도 모른다. 태어남을 기뻐하지도 않고 죽음을 거역하지도 않으며, 의연히 갔다가 의연히 돌아올 뿐이다. 그는 삶을 그대로 받아들여 살다가 잊어버린 채로 되돌아간다.

① 갑: 죽음을 고통이 사라져 순수한 쾌락을 누리는 상태로 인식해야 한다.

② 갑: 죽음을 통해 늙음과 병듦의 고통을 없애고 열반의 경지에 도달해야 한다.

③ 을: 죽음에 대한 진정한 애도를 통해 인간의 선한 본성을 표현해야 한다.

④ 을: 죽음을 자연적 순환 과정의 일부로 인식하여 이에 대해 초연해야 한다.

⑤ 갑, 을: 죽음 이후 영혼의 평안함을 위해 현실에서 선행을 실천해야 한다.

4 갑, 을 사상가들의 입장에 대한 옳은 설명만을 〈보기〉에서 있는 대로 고른 것은?

> 갑: 공정으로서의 정의관은 정의의 제1원칙 자체를 적절히 규정된 최초의 상황에서 이루어질 원초적 합의의 대상으로 본다. 이러한 원칙은 자신의 이익 증진에 관심을 가진 합리적 인간들이 그들의 공동체의 기본 조건을 정하기 위해 평등한 입장에서 받아들이게 될 원칙이다.
>
> 을: 소유물에서의 정의의 이론의 일반적인 개요를 말하자면, 이는 한 사람의 소유물은 취득과 이전에서의 정의의 원리 또는 불의의 교정의 원리에 의해 그가 그 소유물에 대한 권리를 부여받았으면 정당한 것이다.

〈 보기 〉

ㄱ. 갑은 정의의 원칙을 가상적 상황에서 만장일치로 합의한 원칙이라고 본다.

ㄴ. 을은 최소 국가는 재화의 이전 과정에 절대로 개입해서는 안 된다고 본다.

ㄷ. 을은 갑과 달리 다수의 이익을 위해 소수의 권리가 침해되어서는 안 된다고 본다.

ㄹ. 갑, 을은 최소 수혜자의 처지를 개선하기 위해 기본적 자유를 제한하는 것을 부당하다고 본다.

① ㄱ, ㄴ ② ㄱ, ㄹ ③ ㄴ, ㄷ
④ ㄱ, ㄷ, ㄹ ⑤ ㄴ, ㄷ, ㄹ

5 갑, 을 사상가들이 서로에게 제기할 수 있는 비판으로 가장 적절한 것은?

> 갑: 기업은 사회적 기부 행위, 보육 시설 운영, 사회 복지 시설 운영 등 사회의 공익을 위한 자선 활동을 할 필요가 있다. 이는 기업에 대한 소비자의 신뢰를 높이고 긍정적인 이미지를 갖게 하여 기업의 근본 목적인 이윤 추구에 도움이 된다.
>
> 을: 자유 경제에서 기업이 지는 사회적 책임은 오로지 하나뿐인데, 이는 게임의 규칙을 준수하는 한에서 기업의 이익 극대화를 위하여 자원을 활용하고 이를 위한 활동에 매진하는 것, 즉 속임수나 기망 행위 없이 공개적이고 자유로운 경쟁에 전념하는 것이다.

① 갑이 을에게: 기업의 근본 목적은 사회 복지와 공동선의 실현에 있다.

② 갑이 을에게: 기업의 자선 활동은 기업의 장기적 이익에 도움이 될 수 있다.

③ 을이 갑에게: 기업의 목적을 이윤 추구만으로 제한하는 것은 잘못이다.

④ 을이 갑에게: 기업은 기업과 관련된 모든 사람의 이익을 극대화해야 한다.

⑤ 을이 갑에게: 기업은 소비자의 삶의 질 향상을 위해 사회적 책임을 이행해야 한다.

[21913-0006] ○ △ ✕

6 (가)의 사상가 갑, 을, 병의 입장을 (나) 그림으로 탐구할 때, A~D에 해당하는 적절한 질문만을 〈보기〉에서 있는 대로 고른 것은? [3점]

(가)	갑: 사법적 형벌은 오로지 그가 범죄를 저질렀기 때문에 그에게 가해지지 않으면 안 된다. 왜냐하면 인간은 결코 타인의 의도를 위한 한낱 수단으로서만 취급될 수 없기 때문이다. 따라서 살인자에 대한 정당한 처벌은 사형뿐이다. 을: 사형 제도는 더 나은 예방 효과를 가진 종신형으로 대체되어야 한다. 최고의 형벌인 사형이 사회에 대항하는 범죄를 행하는 것을 억제하지 못했다는 것은 모든 시대의 경험이다. 병: 사회 계약은 시민의 생명을 처분하는 것이 아니라 시민의 생명을 보존하는 것이다. 사회 계약을 할 때 시민은 국가에 생명 박탈의 권리를 양도하였으므로 국가는 타인을 살해한 시민을 사형에 처할 권리가 있다.
(나)	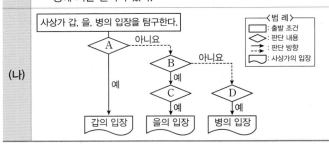

〈 보기 〉

ㄱ. A: 범죄와 형벌 사이에는 비례의 원칙이 적용되어야 하는가?
ㄴ. B: 범죄자에 대한 처벌권은 계약에 의해 국가에 위임되는가?
ㄷ. C: 사형은 종신 노역형에 비해 형벌의 효율성이 떨어지는가?
ㄹ. D: 살인자는 계약 위반자이므로 시민의 자격을 상실하는가?

① ㄱ, ㄴ　　　② ㄱ, ㄹ　　　③ ㄷ, ㄹ
④ ㄱ, ㄴ, ㄷ　　　⑤ ㄴ, ㄷ, ㄹ

[21913-0007] ○ △ ✕

7 (가), (나)의 입장에 대한 옳은 설명만을 〈보기〉에서 있는 대로 고른 것은?

(가) 과학은 주관적 가치가 개입될 수 없으며, 과학의 참과 거짓에 대한 판단은 사회로부터 독립적이다. 따라서 과학자는 연구 결과가 사회에 미칠 영향을 고려할 필요가 없으며, 오로지 자연을 탐구해 진리를 발견하려고 노력해야 한다.

(나) 과학에서 관찰과 실험은 객관성에 근거하지만, 연구 대상 설정과 결과 활용에는 주관적 가치가 개입된다. 따라서 과학자는 자신의 연구가 사회에 미칠 영향을 심사숙고해야 한다.

〈 보기 〉

ㄱ. (가)는 과학자는 연구 결과의 활용에 대한 사회적 책임으로부터 독립적이어야 한다고 본다.
ㄴ. (나)는 과학 연구에서 관찰과 실험 과정에서는 객관성 유지가 중요하다고 본다.
ㄷ. (나)는 (가)와 달리 과학적 사실의 진위를 가치 중립적으로 판단해야 한다고 본다.
ㄹ. (가), (나)는 과학의 활용 결과에 대한 과학자의 윤리적 성찰이 필요하다고 본다.

① ㄱ, ㄴ　　　② ㄱ, ㄷ　　　③ ㄷ, ㄹ
④ ㄱ, ㄴ, ㄹ　　　⑤ ㄴ, ㄷ, ㄹ

8 (가)의 갑, 을, 병 사상가들의 입장을 (나) 그림으로 표현할 때, A
~D에 해당하는 적절한 진술만을 〈보기〉에서 있는 대로 고른 것은?
[3점]

(가)	갑: 동물을 잔인하게 다루는 것은 인간의 고통에 대한 공감을 무디게 하며, 인간의 도덕성에 기여할 수 있는 자연적인 소질을 약화시킨다. 따라서 동물을 폭력적으로 다루는 것을 삼가야 한다. 을: 고통과 즐거움을 느낄 수 있는 능력은 어떤 존재가 이익 관심을 갖는다고 말할 수 있기 위한 필요조건일 뿐만 아니라 충분조건이기도 하다. 병: 생명체가 목적론적 활동의 중심이 되게끔 하는 것은 자신의 선을 실현하도록 방향 지워진 유기체의 작용이 갖는 일관성과 통일성이다.
(나)	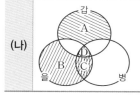 〈범 례〉 A: 갑만의 입장 B: 을만의 입장 C: 을과 병만의 공통 입장 D: 갑, 을, 병의 공통 입장

〈 보기 〉

ㄱ. A: 동물을 도덕적으로 고려하는 주된 이유는 인간성 훼손
 방지를 위해서이다.
ㄴ. B: 쾌고 감수 능력을 갖는 존재만이 도덕적 고려의 대상이다.
ㄷ. C: 평등의 원리에 따라 고통을 느낄 수 있는 모든 존재를
 동일하게 대우해야 한다.
ㄹ. D: 동물 학대는 인간이 져야 할 의무에 위배될 수 있다.

① ㄱ, ㄴ   ② ㄱ, ㄷ   ③ ㄷ, ㄹ
④ ㄱ, ㄴ, ㄹ   ⑤ ㄴ, ㄷ, ㄹ

---

9 갑 사상가의 입장에 비해 을 사상가의 입장이 갖는 상대적인
특징을 그림의 ㉠~㉤ 중에서 고른 것은? [3점]

갑: 원조의 목적은 고통받는 사회가 자신의 문제들을 합당하고
 합리적으로 관리할 수 있도록 도와, 결과적으로 질서 정연
 한 국제 사회의 구성원이 되도록 하는 것이다. 이것이 원조
 의 목표를 규정한다.
을: 원조의 목적은 경제 성장에 초점을 맞춰서는 안 되며, 친소
 (親疏)에 따라 이루어져서도 안 된다. 원조는 생명을 구하
 는 것, 고통을 줄이는 것, 사람들의 기본적 욕구를 충족시
 켜 주는 것에 맞춰져야 한다.

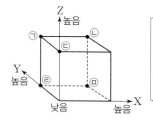

X: 사회 구조 개혁이 원조의 목적임을 강조
 하는 정도
Y: 이익 동등 고려의 원칙에 근거해 원조를
 강조하는 정도
Z: 인류의 고통 감소와 쾌락 증진이 원조의 목
 적임을 강조하는 정도

① ㉠   ② ㉡   ③ ㉢   ④ ㉣   ⑤ ㉤

10 다음 한국 사상가가 강조하는 내용으로 적절하지 <u>않은</u> 것
은?

"서경"에 이르기를 "백성은 나라의 근본이니 근본이 튼튼해야
나라가 평안하다."라고 했다. 목민관은 왕을 대신해 백성의 삶
을 직접 보고 들을 뿐만 아니라 왕의 뜻을 백성에게 직접 전하
기 때문에 다른 관직보다 그 임무가 중요하다. 그러므로 목민
관은 청렴으로 자신을 다스리고, 백성을 받들고, 백성을 사랑
하는 것을 기본 덕목으로 삼아야 한다.

① 목민관은 어려움에 처한 백성을 불쌍히 여겨 보살펴야 한다.
② 목민관은 왕을 대신해 백성을 직접 살피는 역할을 해야 한다.
③ 목민관은 백성을 위해 자신이 존재하는 것임을 깨달아야 한다.
④ 목민관은 사적 이익을 추구하지 않도록 사유 재산을 포기해
 야 한다.
⑤ 목민관은 명예와 재물을 탐하지 말고 공정하게 일을 처리해
 야 한다.

O 알고 맞힘 /10   △ 헷갈림 /10   ✕ 모르고 틀림 /10

[21913-0011] O △ ✕

1 ㉠에 들어갈 내용으로 가장 적절한 것은?

> 윤리학은 자연 현상을 다루는 자연 과학과는 학문적 성격이 다르다. 윤리학은 존재나 사실에 기초해서 성립된 학문이 아니라 당위에 기초해 성립된 학문이다. 따라서 윤리학은 '인간이 어떻게 행위 하는가?'가 아니라 '인간이 어떤 행동을 해야 하는가?', '인간은 어떻게 살아야 하는가?' 등에 초점을 두어야 하며, 인간이 준수해야 할 보편적인 규범에 대한 이론적 탐구를 목적으로 삼아야 한다. 그런데 어떤 사람은 "윤리학의 핵심 과제는 '좋음', '옳음'과 같은 윤리학적 개념의 의미를 분석하고, 도덕 추론의 논리적 타당성을 검토하는 것이다."라고 주장한다. 나는 이러한 주장이 윤리학은 [㉠]는 점을 간과하고 있다고 생각한다.

① 당위가 아니라 사실에 대한 객관적 탐구를 핵심 과제로 삼아야 한다
② 윤리학 자체의 학문적 성립 가능성을 검토하는 것을 본질로 삼아야 한다
③ 도덕적 현상을 가치 중립적인 관점에서 설명하는 것을 목표로 삼아야 한다
④ 특정한 사회의 도덕적 풍습이나 관습을 기술하는 것을 본질로 삼아야 한다
⑤ 선악을 결정할 수 있는 도덕 판단의 기준을 제공하는 것을 핵심 과제로 삼아야 한다

[21913-0012] O △ ✕

2 갑 사상가가 을 사상가에 비해 강조하는 내용으로 가장 적절한 것은?

> 갑: 덕은 실천에 내재된 선의 성취를 가능하게 할 뿐만 아니라 고통, 위험, 유혹을 극복할 수 있게 함으로써 선에 대한 인식을 제공해 주는 성향이다. 우리는 덕이 좋은 삶이 무엇인지 이해할 수 있게 해 준다는 점을 깨달아야 한다.
> 을: 의무는 법칙에 대한 존경심 때문에 어떤 행위를 할 수밖에 없는 것이다. 나는 내 행위에서 나온 결과물에 대해 경향성을 가질 수는 있지만, 결코 존경심을 가질 수는 없다.

① 보편화 가능한 도덕 법칙에 따라 행위 해야 한다.
② 행위의 결과보다는 행위의 동기를 중시해야 한다.
③ 인간을 단순히 수단으로만 대우하지 말아야 한다.
④ 행위 그 자체보다는 행위자의 품성에 주목해야 한다.
⑤ 구체적 맥락보다 추상적 도덕 원리를 중시해야 한다.

[21913-0013] O △ ✕

3 갑, 을의 입장만을 〈보기〉에서 있는 대로 고른 것은? [3점]

> 갑: 결국 죽어야 하는 사람의 목숨은 정해져 있지 않아 알 수 없고 고통으로 얽혀 있다. 태어나 죽지 않고자 하나 죽지 않을 방도가 없다. 연기(緣起)에 따라 뭇 삶의 운명이 이런 것이다. 빚어낸 질그릇이 마침내 깨지고 말 듯 사람의 목숨 또한 그런 것이다.
> 을: 죽음과 함께 탁월하게 훌륭한 삶을 살아온 사람들의 영혼은 감옥과 같은 이 세상으로부터 해방되어 자유롭게 되며, 저 위의 순수한 곳으로 올라가 그곳에서 살게 된다. 축복받은 사람들이 있는 그곳으로 가서 기쁨에 함께 참여한다.

〈 보기 〉
ㄱ. 갑: 반복되는 윤회로부터 벗어나기 위해 해탈을 해야 한다.
ㄴ. 갑: 현세의 삶을 포기하고 내세의 영원한 삶을 추구해야 한다.
ㄷ. 을: 육체는 필연적으로 소멸하지만, 영혼은 영원한 것이다.
ㄹ. 을: 자연을 따르는 수련으로 죽음 없는 영원한 삶을 추구해야 한다.

① ㄱ, ㄷ   ② ㄱ, ㄹ   ③ ㄴ, ㄷ
④ ㄱ, ㄴ, ㄹ   ⑤ ㄴ, ㄷ, ㄹ

4 (가)의 갑, 을의 입장을 (나) 그림으로 탐구할 때, A~C에 해당하는 적절한 질문만을 〈보기〉에서 있는 대로 고른 것은? [3점]

(가)	갑: 배아는 불가침의 권리를 갖지 않지만, 임의로 사용해도 좋은 대상은 아니다. 또 배아를 인간과 동격으로 여겨야만 배아를 존중할 수 있는 것도 아니다. 예를 들어 생명을 자연의 숭고한 선물로 받아들인다면, 배아에 대해 경외감을 지니면서도 착상 전 배아로 줄기세포를 연구하는 것이 불가능하지는 않다.
	을: 배아와 인간은 그 발달 단계는 다르지만 동일한 단일의 실재이므로 사물처럼 수단으로 다뤄져서는 안 된다. 배아는 인격체로서의 특성을 갖는 인간 존재로 발달하는 인간 생명체이다. 우리 중 누구도 한번은 배아가 아닌 적이 없다는 사실은 배아와 인간이 동등한 존엄성을 지닌다는 것을 함의한다.
(나)	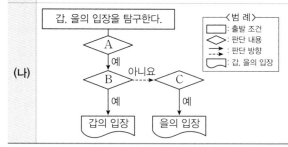

〈 보기 〉

ㄱ. A: 생명을 지닌 존재로서 배아는 존중의 대상인가?
ㄴ. B: 배아의 도덕적 지위는 인격체가 갖는 도덕적 지위와 동등한가?
ㄷ. B: 질병을 치료할 목적의 배아 줄기세포 연구는 허용될 수 있는가?
ㄹ. C: 배아에서 인간이 되는 과정은 경계가 없는 연속적인 과정인가?

① ㄱ, ㄴ　　② ㄴ, ㄷ　　③ ㄷ, ㄹ
④ ㄱ, ㄴ, ㄹ　　⑤ ㄱ, ㄷ, ㄹ

5 다음 사상가의 관점에만 모두 'V'를 표시한 학생은?

인간은 분리 상태를 극복하기 위해, 즉 합일에의 열망을 실현하기 위해 사랑을 하는데, 자신을 타인의 일부로 만들거나 타인을 자신의 일부로 만드는 사랑은 미숙한 사랑일 뿐이다. 성숙한 사랑은 두 존재가 하나로 되면서도 여전히 둘로 남을 수 있는 사랑이다. 사랑은 수동적 감정이 아니라 활동이다. 사랑은 참여하는 것이지 빠지는 것이 아니다. 사랑은 본래 주는 것이지 받는 것이 아니라고 설명할 수 있다. …(중략)… 주는 것은 자신의 잠재적 능력의 최고 표현이다. 준다는 행위 자체에서 나는 나의 힘, 나의 능력을 경험한다.

관점　　　　　　　　　　　　　　　　　　학생	갑	을	병	정	무
진정한 사랑은 상대방을 소유하고자 하는 욕망이다.	V		V	V	
진정한 사랑은 자신과 타인을 결합시키는 능동적인 힘이다.		V	V		V
진정한 사랑은 적극적으로 상대방에게 자신의 것을 주는 활동이다.		V		V	V
진정한 사랑은 자신의 개성을 유지하는 상태에서 상대방과 합일을 이루는 것이다.	V			V	V

① 갑　　② 을　　③ 병　　④ 정　　⑤ 무

6 갑, 을에 대한 옳은 설명만을 〈보기〉에서 있는 대로 고른 것은?
[3점]

갑: 인간은 자연의 사용자 및 해석자로서 자연의 질서에 대해 실제로 관찰하고 고찰한 것만큼 무엇인가를 할 수 있으며 이해할 수 있다. 그 이상의 것은 알 수도 없고, 할 수도 없다. 인간의 지식이 곧 인간의 힘이다. 원인을 밝히지 못하면 어떤 효과도 낼 수 없다.

을: 인간은 모든 살려고 하는 의지들에 대해 자신에게 부여했던 생명에의 경외를 부여하지 않으면 안 된다고 느낀다. 인간은 다른 생명체 또한 살려고 애쓴다는 것을 자기 안에서 경험한다. 그래서 그는 생명을 유지하고, 생명을 증진하며, 생명을 고양시키는 것을 선으로, 반대로 생명을 파괴하고, 생명에 해를 끼치며, 생명을 억압하는 것을 악으로 본다. 이것이야말로 절대적이고 기본적인 원리이다.

─〈 보기 〉─

ㄱ. 갑은 자연에 대한 과학 지식이 인류의 복지를 향상시키는 수단이라고 본다.

ㄴ. 을은 살아 있다는 것은 그 자체로 선이며 존중받을 가치가 있다고 본다.

ㄷ. 갑은 을과 달리 인간의 생존을 위해 불가피하게 다른 생명을 해칠 수 있다고 본다.

ㄹ. 을은 갑과 달리 모든 생명체는 인간의 삶에 이바지하는 도구적 가치를 지닌다고 본다.

① ㄱ, ㄴ   ② ㄱ, ㄷ   ③ ㄷ, ㄹ
④ ㄱ, ㄴ, ㄹ   ⑤ ㄴ, ㄷ, ㄹ

7 사상가 갑, 을, 병이 서로에게 제기할 수 있는 비판으로 가장 적절한 것은? [3점]

갑: 형벌의 목적은 오직 범죄자가 시민들에게 새로운 해악을 입힐 가능성을 방지하고, 일반인들이 유사한 범죄 행위를 할 가능성을 억제하는 것이다. 형벌 및 형벌 집행 수단은 인간의 정신에 지속적인 인상을 만들어 내는 동시에 수형자의 신체에는 가장 작은 고통을 주어야 한다.

을: 형벌의 목적은 행위에 상응하는 벌을 내리는 것이다. 누구든지 그가 형벌을 의욕했기 때문이 아니라, 형벌을 받아야 할 행위를 의욕했기 때문에 형벌을 받는 것이다.

병: 형벌의 목적은 더 큰 악을 없애는 것을 보장하는 것이다. 모든 법의 공통적이고 일반적인 목적은 공동체 전체의 행복을 증가시키는 것이므로 우선 행복을 감소시키는 해악을 제거해야 한다.

① 갑이 을에게: 준법의 의무는 신분에 관련 없이 동등하게 적용되어야 함을 간과하고 있다.

② 갑이 병에게: 범죄 예방에 기여할 수 있다면 형벌을 부과해야 함을 간과하고 있다.

③ 을이 갑에게: 범죄 억제력 측면에서 사형보다 우월한 형벌이 존재함을 간과하고 있다.

④ 을이 병에게: 형벌은 최대 다수의 최대 행복을 위해 집행되어야 함을 간과하고 있다.

⑤ 병이 을에게: 형벌이 사회적 이익을 증진하기 위한 수단이라는 것을 간과하고 있다.

8 그림은 서술형 평가 문제와 학생 답안이다. 학생 답안의 ㉠~㉤ 중 옳지 <u>않은</u> 것은? [3점]

서술형 평가

◎ 문제: 갑, 을 사상가들의 입장을 비교하여 서술하시오.

> 갑: 시민 불복종은 단지 편의를 위해 존재할 뿐인 정부가 양심에 어긋나는 정책을 시행할 경우 편의가 아닌 정의를 위해 우리가 가질 수 있는 권리이자 의무이다. 우리는 누구에게 강요받기 위해 태어난 것이 아니므로 현명한 소수자는 이에 불복종할 수 있다.
>
> 을: 시민 불복종은 공유된 정의관이라는 틀 안에서 행해져야 할 최후의 정치적 행위이다. 이러한 행위를 통해 우리는 공동 사회의 다수자가 갖는 정의감을 나타내게 되고, 사회 협동체의 원칙이 존중되지 않고 있음을 선언하게 된다.

◎ 학생 답안

갑은 ㉠ 정의롭지 못한 법률에 대해 자신의 양심에 따라 시민 불복종을 전개해야 한다고 주장하였고, 을은 ㉡ 공동 사회의 다수자가 갖는 정의감에 근거해 시민 불복종을 전개해야 한다고 주장하였다. 그리고 갑은 ㉢ 시민 불복종을 정의롭지 못한 국가 권력에 대해 자신의 가치를 지키는 방법이라고 보았고, 을은 ㉣ 시민 불복종을 국가의 체제를 변혁시키기 위한 방법으로 보았다. 한편 갑, 을은 모두 ㉤ 시민 불복종은 신중하고 양심적인 신념의 표현이어야 한다고 보았다.

---

① ㉠ ② ㉡ ③ ㉢ ④ ㉣ ⑤ ㉤

9 다음 사상가의 입장으로 적절하지 <u>않은</u> 것은?

> 문화 산업의 최대 목적은 이윤 추구이며, 여기서 예술의 자율성은 고려의 대상이 아니다. 그래서 문화 산업은 대중 자신으로부터 자발적으로 형성된 문화와 분명하게 구별된다. 문화 산업 내 대중문화는 기본적으로 모든 것이 규격화되고 동질적인 특색을 가지게 되며, 이것은 나아가 대중을 획일화된 잘못된 총체성으로 통합되게 한다. 문화 산업의 대표이자 중심이 되는 대중문화는 이전의 대중문화와는 다른 양상으로 대중 앞에 등장하며 오락과 유흥을 제공하게 된다. 문화 상품이 주는 유흥과 허위적 욕구의 충족은 현실의 고통을 잊게 만들고, 저항 의식보다는 도피를 꿈꾸게 하여 대중이 자기의식을 가질 수 있는 능력을 상실하게 한다.

① 문화 산업은 대중의 자발적인 능력을 빼앗고 둔화시킨다.
② 문화 산업은 기존의 사회 체제를 비판하는 역할을 하게 한다.
③ 문화 산업은 대중이 적극적으로 사유하는 것을 어렵게 만든다.
④ 문화 산업은 대중 매체를 이용하여 상업적 이익을 극대화한다.
⑤ 문화 산업은 의도적으로 만들어진 사유 양식으로 대중을 지배한다.

10 그림의 강연자가 지지할 입장만을 〈보기〉에서 있는 대로 고른 것은?

> 평화에는 소극적 평화와 적극적 평화가 있습니다. 소극적 평화는 전쟁을 포함한 직접적 또는 물리적 폭력이 없는 상태로 국가 안보 개념의 평화입니다. 적극적 평화는 간접적 또는 구조적 폭력 및 문화적 폭력까지 없는 상태를 뜻하는 것으로 인간 안보 개념의 평화입니다. 적극적 평화는 다시 '직접적이고 적극적 평화', '구조적이고 적극적 평화', 그리고 '문화적이고 적극적 평화'로 구분됩니다. 직접적이고 적극적 평화는 나와 타자 간에 갖는 직접적인 평화를 의미합니다. 구조적이고 적극적 평화는 공동체적이고 간접적인 평화입니다. 문화적이고 적극적 평화는 종교, 법, 사상 등을 통해 만들어집니다. 나아가 평화는 평화적 수단에 의해서만 성취해야 합니다.

〈 보기 〉

ㄱ. 평화는 비폭력적 수단에 의해서만 달성되어야 한다.
ㄴ. 억압과 착취의 사회 구조를 자유와 평등의 구조로 바꾸어야 한다.
ㄷ. 의도되지 않은 사회적 분열과 소외를 폭력으로 규정해서는 안 된다.
ㄹ. 직접적 폭력뿐만 아니라 구조적·문화적 폭력이 사라진 평화를 추구해야 한다.

① ㄱ, ㄴ ② ㄱ, ㄷ ③ ㄷ, ㄹ
④ ㄱ, ㄴ, ㄹ ⑤ ㄴ, ㄷ, ㄹ

03회 미니모의고사

[21913-0021] ○ △ ✕

1 (가), (나)의 입장만을 〈보기〉에서 고른 것은?

(가) 윤리학은 어떤 원리가 윤리적 행위를 위한 근본 원리로 성립할 수 있는지 연구하는 것에 주된 관심을 가져야 한다. 단지 개인들이 행위 하는 방식만을 객관적으로 기술하는 것은 그들이 어떻게 행위 해야 하는지를 보여 주지 못한다. 즉 윤리학은 사실로서의 도덕이 아니라 당위로서의 도덕을 말해야 한다.

(나) 윤리학은 한 문화권 내에서 살아가고 있는 사람들이 생활 속에서 행위 하는 방식에 주된 관심을 가져야 한다. 이에 근거해 개인과 사회는 어떤 도덕 판단을 통해 행위 하게 되는지 가치 중립적으로 기술하고, 도덕 판단의 원인과 결과도 정확히 탐구해야 한다. 즉 윤리학은 삶에 대한 경험의 한 부분인 도덕규범을 경험적으로 연구해야 한다.

〈 보기 〉
ㄱ. (가): 윤리학은 옳은 행위의 규범적 기준이 되는 도덕 원리 제시를 목표로 삼아야 한다.
ㄴ. (나): 윤리학은 도덕 추론 과정에 대한 논리적 타당성 검증을 주된 목적으로 해야 한다.
ㄷ. (나): 윤리학은 도덕적인 현상의 인과 관계를 객관적으로 설명하는 것에 주목해야 한다.
ㄹ. (가), (나): 윤리학은 삶의 지침이 되는 도덕규범의 정립을 핵심 과제로 삼아야 한다.

① ㄱ, ㄴ   ② ㄱ, ㄷ   ③ ㄴ, ㄷ
④ ㄴ, ㄹ   ⑤ ㄷ, ㄹ

[21913-0022] ○ △ ✕

2 (가), (나)의 입장만을 〈보기〉에서 고른 것은? [3점]

(가) 참된 규범적 윤리 체계는 어떤 규칙에 의해 사람들의 행위를 규제하면 다른 규칙을 따를 경우보다 더 큰 쾌락과 더 적은 고통이 초래될 규칙의 집합이다. 즉 행위의 규칙은 그 규칙을 보편적으로 따르는 것이 어떤 선택 가능한 규칙을 보편적으로 따르는 것보다 큰 유용성을 가질 때 옳고 그른 행위의 기준이 된다.

(나) 참된 규범에 대한 합의에 도달하는 것은 실천적 담론을 통해 보장되며, 이 과정에서 담론 참여자들의 자유로운 의사소통이 보장되어야 한다. 즉 동일한 기회를 갖고 의미, 주장, 제안, 설명, 그리고 정당성을 주장할 수 있어야 하며 그것의 타당성을 문제 삼아 비판의 근거를 제시하거나 혹은 반증을 제시할 수 있어야 한다.

〈 보기 〉
ㄱ. (가): 공리의 원리에 의해 정당화된 행위 규칙이 도덕 판단의 기준이 된다.
ㄴ. (나): 다수결의 원칙을 통해 합의된 규범만이 행위에 대한 구속력을 지닌다.
ㄷ. (나): 합리적 의사소통 과정을 통해 보편화 가능한 행위 규범을 도출할 수 있다.
ㄹ. (가), (나): 사회 전체의 효용을 증진하는 규칙만을 보편타당한 규범으로 삼아야 한다.

① ㄱ, ㄴ   ② ㄱ, ㄷ   ③ ㄴ, ㄷ
④ ㄴ, ㄹ   ⑤ ㄷ, ㄹ

[21913-0023] ○ △ ×

3 다음 사상가의 입장만을 〈보기〉에서 있는 대로 고른 것은?

[3점]

여자는 남자와의 관계에 따라 한정되고 달라지지만, 남자는 그렇지 않다. 남자는 '주체'이고 '절대'이지만 여자는 '타자(他者)'이다. 여자는 본질적인 것에 대해 비본질적인 것이며, 태어나는 것이 아니라 만들어지는 것이다. 여자 아이가 태어날 때부터 이미 성적으로 우리의 눈에 별개의 것으로 비쳐진다 해도, 그것은 여자 아이의 본능이 그 아이를 수동성과 모성애에 어울리게 만들었기 때문이 아니라, 처음부터 강제적으로 그 인생의 직분을 떠맡도록 되어 버렸기 때문이다. …(중략)… 주어진 현실 세계에서 자유의 승리를 가져오느냐의 여부는 우리에게 달려 있다. 이러한 승리를 쟁취하기 위해서는 무엇보다 먼저 남녀가 서로 간의 구별을 초월해 분명한 우애를 나누어야 할 것이다.

〈 보기 〉

ㄱ. 여성이 남성에게 예속된 존재로 규정될 때 주체가 아닌 객체로서 인식된다.

ㄴ. 여성이 인간으로서의 주체성을 회복할 때 남녀 사이의 평등이 가능해진다.

ㄷ. 여성이 지닌 부조리한 현실을 타파하기 위해서는 여성 자신의 각성도 필요하다.

ㄹ. 여성은 남성과 생물학적으로 다르기 때문에 여성에 대한 불평등한 대우는 정당하다.

① ㄱ, ㄴ   ② ㄱ, ㄹ   ③ ㄷ, ㄹ
④ ㄱ, ㄴ, ㄷ   ⑤ ㄴ, ㄷ, ㄹ

[21913-0024] ○ △ ×

4 갑이 을에게 제기할 반론으로 가장 적절한 것은?

정보 사회에서 정보의 발전은 사회적·경제적 생산력의 증대를 의미합니다. 정보 생산 욕구를 고취하기 위해서는 시간과 노력을 들여 정보를 생산한 개인에게 배타적 소유권을 보장해야 합니다.

정보 사회에서 정보는 생산 활동의 원천이자 공공재입니다. 정보를 나눔으로써 오히려 새로운 정보를 생산할 수 있습니다. 따라서 누구나 제한 없이 정보에 접근할 수 있도록 허용해야 합니다.

갑   을

① 정보 공유로 사회 불평등 완화에 기여해야 함을 무시하고 있다.

② 양질의 정보 생산을 위해 무단 복제를 허용해야 함을 무시하고 있다.

③ 정보가 개인의 노동력을 투입해 산출된 사적 자산임을 무시하고 있다.

④ 경제적 약자를 위해 정보를 차등적으로 분배해야 함을 무시하고 있다.

⑤ 정보에 대한 사적 독점을 금지하면 정보의 생산량이 증대됨을 무시하고 있다.

[21913-0025] ○ △ ×

5 (가)를 주장한 사상가의 입장에서 볼 때, (나)의 ㉠에 들어갈 적절한 진술만을 〈보기〉에서 고른 것은?

(가)	증자(曾子)가 그의 아버지 증석(曾晳)을 대접할 때에 반드시 술과 고기를 마련하니 밥상을 물리려 할 때에는 반드시 줄 곳을 물었으며, 누군가를 대접하기 위해 남은 것이 있냐고 물으면 반드시 있다고 대답하였다. 증석이 죽은 뒤 증원(曾元)이 그의 아버지 증자를 봉양할 때에도 반드시 술과 고기를 마련하더니 밥상을 물리려 할 때에는 줄 곳을 물어보지 않았고, 남은 것이 있냐고 물으면 없다고 대답하니 장차 그 음식을 다시 올리기 위해서였다. 증원의 효는 이른바 입과 몸을 봉양하는 것이며, 증자의 효는 어버이의 뜻을 받드는 것이므로 어버이를 섬길 때는 증자와 같이해야 한다.
(나)	㉠ . 그러면 양지(養志)의 효를 행할 수 있을 것이다.

〈 보기 〉

ㄱ. 부모가 물질적으로 부족함이 없도록 보살펴 드려라

ㄴ. 부모의 뜻에 순종하면서 부모를 정신적으로 공경해라

ㄷ. 부모에게 맛있는 음식을 대접하고 안락한 거처를 마련해 드려라

ㄹ. 부모의 마음을 편안하게 함으로써 부모를 기쁘게 하도록 노력해라

① ㄱ, ㄴ   ② ㄱ, ㄷ   ③ ㄴ, ㄷ
④ ㄴ, ㄹ   ⑤ ㄷ, ㄹ

6 갑, 을, 병 사상가들의 입장에서 서로에게 제기할 수 있는 비판으로 가장 적절한 것은? [3점]

> 갑: 모든 생명체는 목적론적 활동의 중심이다. 살아 있는 모든 존재는 고유한 선을 가지는 실체들에게 부여되는 가치로서 동등한 내재적 존엄성을 갖는다.
> 을: 평등은 도덕적 이념이지 사실에 대한 단언이 아니다. 인간과 동물 종(種) 간 실질적인 능력 차이가 그들의 필요와 이익에 대한 차등적 배려를 정당화할 논리적인 이유가 될 수 없다.
> 병: 동물과 인간의 몸은 자동 장치에 불과하다. 하지만 인간의 이성적 영혼은 몸에서 일어나는 각종 운동이나 생리 현상과 무관하게 존재한다. 이성적 영혼은 인간의 사유에만 관여할 뿐이다.

① 갑이 을에게: 동물과 달리 식물은 도덕적 존중의 대상이 될 수 없음을 모르고 있다.
② 갑이 병에게: 도덕적 행위 능력을 지닌 존재만이 도덕적 고려의 대상이 되어야 함을 모르고 있다.
③ 을이 갑에게: 이성을 소유하고 있는 존재만이 내재적 가치를 지니게 됨을 모르고 있다.
④ 을이 병에게: 동물도 인간처럼 이익 관심을 지니므로 도덕적 고려의 대상이 되어야 함을 모르고 있다.
⑤ 병이 을에게: 동물을 잔인하게 학대하는 것이 인간의 도덕적 의무에 위배되는 것임을 모르고 있다.

7 (가)의 사상가 갑, 을, 병의 입장을 (나) 그림으로 탐구할 때, A~D에 해당하는 적절한 질문만을 〈보기〉에서 있는 대로 고른 것은? [3점]

> (가)
> 갑: 형벌의 목적은 오직 범죄자가 시민들에게 새로운 해악을 입힐 가능성을 방지하고, 타인들이 유사한 행위를 할 가능성을 억제시키는 것이다. 사형은 한순간에 강렬한 인상만 줄 뿐이다. 반면에 종신 노역형은 인간 정신에 미치는 효과가 사형에 비해 크다.
> 을: 모든 형벌은 그 자체로 악이다. 공리의 원칙에 따르면, 만일 형벌이 허용되어야만 한다면 오직 그것이 더 큰 악을 제거하리라고 보장하는 한에서만 허용되어야 한다.
> 병: 사법적 형벌은 결코 범죄자 자신이나 시민 사회를 위해 어떤 다른 선을 촉진하기 위한 한낱 수단으로서 가해질 수 없고, 오히려 그가 범죄를 저질렀기 때문에, 항상 그 때문에 그에게 가해지지 않으면 안 된다.

(나)

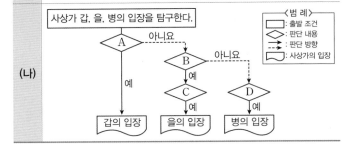

〈 보기 〉
ㄱ. A: 살인범에 대한 사형은 정당한 형벌로 인정되어야 하는가?
ㄴ. B: 형벌의 일반적 목적은 공동체 전체의 행복을 증가시키는 것인가?
ㄷ. C: 형벌의 목적은 범죄 예방이 아닌 범죄자의 교화에 국한되어야 하는가?
ㄹ. D: 형벌은 범죄자 스스로가 한 행위에 대해 응분의 책임을 부과하는 것인가?

① ㄱ, ㄴ　　　② ㄱ, ㄷ　　　③ ㄴ, ㄹ
④ ㄱ, ㄷ, ㄹ　　⑤ ㄴ, ㄷ, ㄹ

[21913-0028] ○ △ ✕

8 다음 사상가의 입장만을 〈보기〉에서 있는 대로 고른 것은?

[3점]

인간이 사회에 들어가는 이유는 그들의 재산을 보존하기 위함이다. 그들이 입법부를 선출하고 권한을 부여하는 목적은 그 사회의 모든 구성원이 가진 재산의 보호 수단이자 울타리로서, 그 사회의 각 구성원이 행사하는 권력을 제한하고 지배력을 억제하는 법률을 제정하고 규칙을 만드는 데 있다. …(중략)… 입법부가 야심, 공포, 어리석음 또는 부패로 인해 인민의 생명, 자유 및 재산에 대한 절대적인 권력을 자신들의 수중에 장악하거나 아니면 그 밖의 다른 자들의 수중에 넘겨 줌으로써 사회의 기본적인 규칙을 침해하게 되면 언제나 그들은 인민이 그것과는 상반된 목적으로 그들의 수중에 맡긴 권력을 신탁 위반으로 상실하게 된다.

〈 보기 〉

ㄱ. 인민은 생명, 자유, 재산에 대한 천부적 권리를 지닌다.
ㄴ. 국가는 인민의 자유와 권리를 보장하기 위해 사회 계약을 통해 구성된다.
ㄷ. 정치적 의무는 자연적 의무로부터 도출되므로 인민의 동의 없이도 성립 가능하다.
ㄹ. 입법자들이 인민을 노예로 만들고자 할 경우 인민의 정치적 의무는 면제될 수 있다.

① ㄱ, ㄴ　　　　② ㄴ, ㄷ　　　　③ ㄷ, ㄹ
④ ㄱ, ㄴ, ㄹ　　　⑤ ㄱ, ㄷ, ㄹ

[21913-0029] ○ △ ✕

9 다음을 주장한 사상가의 입장으로 옳지 <u>않은</u> 것은?

사회 계약에 기초하여 하나의 국가가 건립되듯이, 국제 관계도 국가들이 자발적으로 결성한 연맹 체제에 기초한 국제법을 통해 평화 상태에 들어설 수 있다. 이 상태에서만 국민의 모든 권리나 국가들의 소유가 확정적인 것으로 인정되고 참된 평화 상태가 될 수 있다. 이러한 연맹의 이념은 모든 국가로 확산되어야 하며, 영원한 평화로의 지속적인 접근은 인간 및 국가의 의무로서, 그리고 권리에 기초한 과제로서 성립될 수 있다.

① 모든 국가의 시민적 정치 체제는 공화 정체여야 한다.
② 국제법은 자유로운 국가들의 연방 체제에 기초해야 한다.
③ 세계 시민법은 보편적 우호의 조건들에 국한되어야 한다.
④ 상비군은 자국 안보를 위한 최소 수준으로 유지해야 한다.
⑤ 어떠한 독립 국가도 매매를 통해 다른 국가의 소유로 전락될 수 없다.

[21913-0030] ○ △ ✕

10 갑, 을이 서로에게 제기할 수 있는 비판으로 적절한 것만을 〈보기〉에서 있는 대로 고른 것은?

입학 정원의 약 15%를 소수 집단에서 뽑는 소수자 우대 정책을 시행하고 있는 ○○대학교의 입학 제도는 불공정하다고 생각합니다. 성적이 뛰어난 학생이 단지 소수 집단이 아니라고 해서 입학에 불이익을 받을 수 있기 때문입니다.

저는 그렇게 생각하지 않습니다. 소수자 우대 정책을 통해 학교에 여러 인종의 학생들이 함께 어울려 있는 것이 바람직합니다. 학생들은 출신 배경이 비슷한 학생들끼리 모여 있을 때보다 더 많은 것을 배울 수 있고, 대학은 대학의 시민적 목적을 실현할 수 있기 때문입니다.

갑

을

〈 보기 〉

ㄱ. 갑이 을에게: 소수 집단에 대한 특혜가 역차별을 초래할 수 있음을 간과하고 있다.
ㄴ. 갑이 을에게: 소수자 우대 정책을 통해 사회적으로 가치 있는 목적이 실현될 수 있음을 간과하고 있다.
ㄷ. 을이 갑에게: 사회적 다양성이 확보될 때 사회가 건전한 통합을 이룰 수 있음을 간과하고 있다.
ㄹ. 을이 갑에게: 능력과 업적에 따라 사회적 가치를 분배해야 공정한 사회가 실현될 수 있음을 간과하고 있다.

① ㄱ, ㄴ　　　　② ㄱ, ㄷ　　　　③ ㄷ, ㄹ
④ ㄱ, ㄴ, ㄹ　　　⑤ ㄴ, ㄷ, ㄹ

04회 미니모의고사

제한 시간 15분 / 배점 25점

EBS 수능특강 Q 미니모의고사 **생활과 윤리**

○ 알고 맞힘 /10 △ 헷갈림 /10 ✕ 모르고 틀림 /10

[21913-0031] ○ △ ✕

1 (가)의 입장에 비해 (나)의 입장이 갖는 상대적 특징을 그림의 ㉠ ~ ㉤ 중에서 고른 것은? [3점]

(가) 윤리학은 도덕 현상을 연구하는 사실 과학이다. 도덕은 사회적 관습에서 비롯되므로 윤리학은 도덕 현상을 사회 현상으로 보고 사실적·경험적으로 기술해야 한다.

(나) 윤리학은 도덕의 본질을 연구하는 실천 철학이다. 도덕적 행위에 관한 보편적 원리의 탐구를 위해 윤리학은 우리의 행위 기준을 성찰하고 비판하여 그 원리를 규명하고 실천으로 이어 나가야 한다.

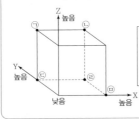

X: 도덕 현상에 대한 객관적 서술에 주력하는 정도
Y: 행위 구속력을 지닌 도덕규범의 제시를 중시하는 정도
Z: 윤리학의 핵심 과제가 보편적 도덕 법칙의 규명임을 강조하는 정도

① ㉠　　② ㉡　　③ ㉢　　④ ㉣　　⑤ ㉤

[21913-0032] ○ △ ✕

2 갑, 을 사상가들의 입장으로 적절하지 <u>않은</u> 것은?

갑: 죽음이란 삶의 시작[始]이며, 삶이란 죽음의 무리[徒]인 것이다. 누가 그 법도를 다스리고 있는지 아는가? 사람의 삶이란 기(氣)가 모인 것이다. 기가 모여 태어나게 되고 기가 흩어지면 죽는 것이다. 만약 죽음과 삶을 같은 무리로 본다면 우리에게 또 무슨 걱정이 있겠는가?

을: 죽음에 이르게 되었을 때 우리는 우리가 갈구하는 지혜를 얻게 된다. 그러므로 우리가 만약에 무엇인가를 순수하게 인식하려고 한다면, 우리는 자신을 육체로부터 자유롭게 해서 대상들 자체를 영혼에 의해서만 바라보아야 한다.

① 갑: 삶과 죽음은 기의 변화에 의한 것이다.

② 갑: 삶과 죽음을 분별의 대상으로 간주하지 말아야 한다.

③ 을: 죽음은 영혼이 육체로부터 풀려나 육체와 분리되는 것이다.

④ 을: 죽음 이후에 인간의 영혼은 가장 훌륭하게 사유할 수 있게 된다.

⑤ 갑, 을: 삶과 죽음은 차별이 없으나 죽음은 애도(哀悼)의 대상이 된다.

[21913-0033] ○ △ ✕

3 (가) 사상가가 (나)의 ㉠을 해결하기 위해 제시할 조언으로 적절한 것만을 〈보기〉에서 있는 대로 고른 것은?

(가)	서로 다른 의견으로 인한 갈등을 극복하기 위해서는 개방적 논의와 담론을 바탕으로 의사소통의 합리성을 실현해야 한다. 이를 위해서는 의사소통 과정에서 참되고, 옳고, 진실하고, 이해할 수 있는 말을 해야 한다.
(나)	A국은 친환경 에너지 생산을 늘리고 원자력 발전의 비중을 줄이는 정책을 실시하려고 한다. 그러나 이와 관련된 이해관계로 인해 ㉠ 기존 원자력 발전소의 폐쇄 여부를 둘러싼 사회적 갈등을 겪고 있다.

〈 보기 〉

ㄱ. 이해 당사자들이 타당한 근거를 바탕에 둔 토론을 전개해야 합니다.

ㄴ. 담론에 참여하여 논의하는 기회를 기술 공학자에게만 부여해야 합니다.

ㄷ. 상호 소통을 도모하는 공론의 장을 마련해 사회적 갈등을 해결해야 합니다.

ㄹ. 관련된 모든 사람이 동의할 수 있는 규범을 도출해 문제를 해결해야 합니다.

① ㄱ, ㄴ　　② ㄱ, ㄹ　　③ ㄴ, ㄷ

④ ㄱ, ㄷ, ㄹ　　⑤ ㄴ, ㄷ, ㄹ

[21913-0034] ○ △ ✕

4 다음 사상가의 입장에서 긍정의 대답을 할 질문만을 〈보기〉에서 있는 대로 고른 것은?

약한 성(性)을 강한 성에게 전적으로 예속시키고 있는 현 제도를 옹호하는 견해는 단지 이론에 근거하고 있다. 왜냐하면 이론 이외의 것으로 행해진 심판은 없었기 때문이다. 또한 불평등 제도의 선택은 결코 심사숙고나 미래에 대한 고려나 어떤 사회사상의 결과가 아니며, 인간의 이익이나 사회의 선한 질서에 이로운 것에 관한 관념의 결과도 아니다. 그 관습은 인간 사회의 여명기에서부터 근육의 힘에 있어서 남성보다 열등한 모든 여성에게 남성들이 부여한 가치 때문에 생겨난 것일 뿐이다.

〈 보기 〉
ㄱ. 남성에 의한 여성의 법적 예속은 본질적으로 부적절한가?
ㄴ. 남성 위주의 사회에서 여성의 잠재력은 더 잘 발휘될 수 있는가?
ㄷ. 남성과 여성의 지배 관계는 사회 환경 요인에 의해 설명될 수 있는가?
ㄹ. 남성의 여성 지배가 남녀의 행복과 복지에 가장 이로운 양식임이 증명되었는가?

① ㄱ, ㄴ   ② ㄱ, ㄷ   ③ ㄷ, ㄹ
④ ㄱ, ㄴ, ㄹ   ⑤ ㄴ, ㄷ, ㄹ

[21913-0035] ○ △ ✕

5 그림은 어느 학생의 노트 필기 내용이다. ㉠~㉣ 중 옳지 <u>않은</u> 것은?

학습 주제: 전통적인 효의 실천 방법
1. 불욕(不辱): 부모 이름을 욕되지 않게 해 드려야 한다. ……… ㉠
2. 불감훼상(不敢毁傷): 부모로부터 물려받은 몸을 깨끗하고 온전하게 해야 한다. ……… ㉡
3. 양지(養志): 부모의 뜻을 헤아려 실천함으로써 부모를 기쁘게 해 드려야 한다. ……… ㉢
4. 공대(恭待): 표정을 항상 부드럽게 하여 부모가 편안한 마음을 지닐 수 있도록 해 드려야 한다. ……… ㉣
5. 입신양명(立身揚名): 효의 시작으로, 후세에 자신의 이름을 떨쳐 부모를 영광되게 해 드려야 한다. ……… ㉤

① ㉠   ② ㉡   ③ ㉢   ④ ㉣   ⑤ ㉤

[21913-0036] ○ △ ✕

6 (가)의 갑, 을, 병 사상가들의 입장을 (나) 그림으로 탐구할 때, A~D에 해당하는 적절한 질문만을 〈보기〉에서 있는 대로 고른 것은? [3점]

(가)
갑: 식물은 동물의 생존을 위해, 동물은 인간의 생존을 위해서 존재한다.
을: '이익 평등 고려의 원칙'에 따른다면 우리는 종(種)이 다르다는 이유로 다른 종을 착취할 권리가 없다.
병: 윤리는 내 안에 그리고 내 밖에 있는 생명의 의지에 대한 외경이다.

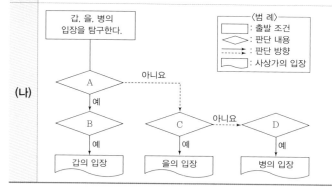

(나)

〈 보기 〉
ㄱ. A: 인간은 도덕적 행위를 할 수 있는 주체적 존재인가?
ㄴ. B: 이성을 지닌 인간은 이성이 없는 동물보다 고귀한 존재인가?
ㄷ. C: 자연의 모든 생명이 내재적 가치를 지닌다고 보는 것은 잘못인가?
ㄹ. D: 모든 생명은 살고자 하는 의지를 지니고 있는 신성한 존재인가?

① ㄱ, ㄷ   ② ㄱ, ㄹ   ③ ㄴ, ㄹ
④ ㄱ, ㄴ, ㄷ   ⑤ ㄴ, ㄷ, ㄹ

[21913-0037] ○ △ ✕

7 (가)의 갑, 을, 병 사상가들의 입장에서 서로에게 제기할 수 있는 비판을 (나) 그림으로 표현할 때, A~E에 해당하는 내용으로 가장 적절한 것은? [3점]

(가)	갑: 살인범에게 법적으로 집행되는 사형 외에 범죄와 보복의 동등성은 없다. 사형은 범죄자 안에 있는 인간성을 추악하게 만들수 있는 모든 가혹 행위에서 그를 벗어나게 해 준다. 을: 살인범의 비참한 상태를 여러 사람들에게 보여 주는 것이 사형보다 범죄 예방에 더 효과적이다. 형벌의 강도보다 지속성이 사람들에게 큰 영향을 미친다. 병: 살인범은 법을 어김으로써 자신의 국가와 전쟁을 벌이는 것이다. 국가의 보존과 그의 보존은 양립할 수 없다. 사형을 당할 때 살인범은 시민이 아니라 적으로서 죽는다.
(나)	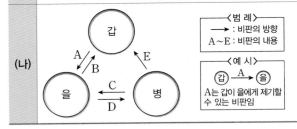

① A: 사형이 가져다주는 효과를 능가하는 형벌이 존재함을 간과한다.

② B: 사적 판단을 통한 응보의 실현도 정당한 형벌이 됨을 간과한다.

③ C: 사형 제도가 사회 계약에 의한 구성원의 생명 보호 수단임을 간과한다.

④ D: 형벌에 공익을 지향하는 일반 의지가 반영되어야 함을 간과한다.

⑤ E: 사형이 살인범의 인격을 존중해 주는 형벌이 될 수 있음을 간과한다.

[21913-0038] ○ △ ✕

8 (가)의 사상가 갑, 을의 입장을 (나) 그림으로 표현할 때, A~C에 해당하는 적절한 진술만을 〈보기〉에서 있는 대로 고른 것은? [3점]

(가)	갑: 사법적 형벌은 결코 범죄자 자신이나 시민 사회를 위해서 어떤 다른 선을 촉진하기 위한 한낱 수단으로서 가해질 수는 없고, 오히려 그가 범죄를 저질렀기 때문에 항상 그 때문에 그에게 가해지지 않으면 안 된다. 왜냐하면 인간은 결코 타인의 의도들을 위한 수단으로 취급될 수는 없고, 물권의 대상들 중에 섞일 수는 없기 때문이다. 그리고 형벌에 있어서 공적인 정의가 의존하는 원리는 동등성의 원리이다. 오직 보복법만이 형벌의 질과 양을 명확하게 제시할 수 있다. 그러므로 그가 살인을 했다면 그는 죽어야만 한다. 을: 모든 법이 공통으로 가지거나 가져야 할 일반적 목적은 공동체 전체의 행복을 증가시키는 것이다. 그러므로 우선 그러한 행복을 감소시키는 경향이 있는 모든 것들을 가능한 한 제거해야 한다. 달리 말하면, 해악을 제거해야 한다. 그러나 모든 형벌은 그 자체로 악이다. 공리의 원칙에 따르면 만약 어쨌든 형벌이 허용되어야만 한다면 오직 그것이 더 큰 악을 제거하리라고 보장하는 한에서만 허용되어야 한다.
(나)	갑 · 을 벤 다이어그램 A: 갑만의 입장 B: 갑, 을의 공통 입장 C: 을만의 입장

〈보기〉

ㄱ. A: 처벌은 사회적 유용성 실현을 목적으로 가해져서는 안 된다.

ㄴ. A: 처벌은 범죄 행위에 상응하는 보복을 위한 것이어야 한다.

ㄷ. B: 처벌은 그 자체로는 악이지만 범죄 예방을 위해 필요하다.

ㄹ. C: 형벌의 가치는 범죄자가 위법 행위로 얻는 이익의 가치를 능가해야 한다.

① ㄱ, ㄷ   ② ㄱ, ㄹ   ③ ㄴ, ㄷ

④ ㄱ, ㄴ, ㄹ   ⑤ ㄴ, ㄷ, ㄹ

9 (가)의 입장에 비해 (나)의 입장이 갖는 상대적 특징을 그림의 ㉠ ～ ㉤ 중에서 고른 것은?

(가) 기업은 주주 이익에 봉사하지 않는 무책임한 경영진을 가진 기관이 되어서는 안 된다. 기업에 자선 목적의 기부를 허용하고 소득세 공제를 허용하는 정책 방향은 소유와 통제를 분리시키고 우리 사회의 기본 성격과 본질을 무너뜨리는 것이다.

(나) 기업은 자기 완결적인 고립된 폐쇄 체계가 아니며 사회와의 상호 작용 속에서 존속하는 개방 개체이다. 따라서 기업은 환경적으로 지속 가능성을 증진시키고, 인권을 존중하며, 사회적 기부 행위를 강화하는 방향으로 사업을 추진하여 사회 구성 요소로서의 책임을 부담해야 한다.

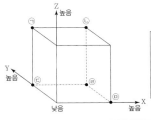

> X: 기업 활동에서 이윤 추구 이외의 사회적 책임을 강조하는 정도
> Y: 사회 공익을 위한 기업의 자선 활동을 강조하는 정도
> Z: 기업 소유자와 투자자의 이익을 우선적으로 보장하려는 정도

① ㉠   ② ㉡   ③ ㉢   ④ ㉣   ⑤ ㉤

10 갑, 을, 병이 서로에게 제기할 수 있는 비판으로 가장 적절한 것은? [3점]

갑: 어떤 사람이 정당한 방법으로 재산을 취득한 경우 그 사람은 그 재산에 대해 배타적 소유권을 갖는다. 국가가 복지를 위해 소득 재분배 정책을 펼치는 것은 개인의 소유권을 침해하는 것이다. 이러한 원칙은 원조에도 적용된다.

을: 질서 정연한 사회들의 장기 목표는 고통받는 사회들을 질서 정연한 만민들의 사회로 가입시키는 것이어야 한다. 질서 정연한 사회의 만민은 고통받는 사회들을 원조해야 할 의무가 있다.

병: 원조 단체에 기부함으로써 우리 자신에게 도덕적으로 마찬가지로 중요한 어떤 것을 희생하지 않고서도 아주 나쁜 일들이 생기는 것을 우리가 중지시킬 수 있는 한, 그러한 단체에 기부하는 것은 우리가 마땅히 해야 하는 일이다.

①	갑이 을에게	원조를 통해 모든 사회의 부를 평준화해야 함을 간과하고 있다.
②	갑이 병에게	개인에게 원조의 의무를 부과하는 것은 소유권을 침해하는 것임을 간과하고 있다.
③	을이 병에게	절대 빈곤국에 대한 원조는 부유한 국가의 상대적 빈곤을 줄이는 것보다 중요함을 간과하고 있다.
④	병이 갑에게	원조에 필요한 비용 마련은 개인의 자선에 달려 있음을 간과하고 있다.
⑤	병이 을에게	원조의 목적은 고통받는 사회의 구조나 제도를 개선하는 것임을 경시하고 있다.

제한 시간 15분 / 배점 25점

05회 미니모의고사

EBS 수능특강 Q 미니모의고사 **생활과 윤리**

○ 알고 맞힘 /10 △ 헷갈림 /10 ✕ 모르고 틀림 /10

[21913-0041] ○ △ ✕

1 그림은 서술형 평가 문제와 학생 답안이다. 학생 답안의 ㉠~㉤ 중 옳지 <u>않은</u> 것은?

서술형 평가

◎ 문제: (가), (나) 윤리학의 입장을 비교하여 서술하시오.

(가) 현대 사회에는 과학 기술 발전과 사회 변화로 인해 과거에는 생각하지 못하였던 새로운 윤리 문제가 제기되고 있다. 따라서 윤리학은 현실에 적용할 수 있는 실천적인 규범과 원칙을 탐구하여 삶의 구체적인 상황에서 발생하는 문제에 대한 도덕적인 해결책 모색에 주력해야 한다.

(나) 개인이나 사회가 받아들이는 규칙이나 구체적인 도덕 판단은 과학적 방법을 통해 연구되어야 한다. 따라서 윤리학은 개인의 도덕적 의식이나 문화권 내에 존재하는 도덕적 관행에 초점을 두고, 개인의 생활과 사회 구조 속에 존재하는 도덕 현상에 대한 경험적 지식을 기술하는 것에 주력해야 한다.

◎ 학생 답안

(가)는 윤리학이 ㉠ '안락사를 허용해야 하는가?'와 같은 구체적 윤리 문제 해결에 직접적인 관심을 기울여야 하며, ㉡ 문제 해결을 위해 다양한 학문 분야와 연계해야 한다고 본다. (나)는 윤리학이 ㉢ '개인 또는 사회가 어떤 도덕적 관행에 따라 행위 하는가?'와 같이 도덕 행위를 가치 중립적으로 서술하는 것에 관심을 기울여야 하며, ㉣ 한 사회 내에서 일반적으로 수용되는 규범과 그렇지 않은 규범을 객관적으로 관찰해야 한다고 본다. 한편 (가), (나)는 공통적으로 ㉤ 행위 지침이 되는 보편적인 도덕 원리에 대한 탐구를 통해 올바른 삶의 방향을 제시하는 것을 윤리학의 주된 목표라고 본다.

---

① ㉠ ② ㉡ ③ ㉢ ④ ㉣ ⑤ ㉤

[21913-0042] ○ △ ✕

2 다음을 주장한 사상가의 관점에만 모두 'V'를 표시한 학생은? [3점]

- 행위를 못하게 막는 공포가 아니라 행위를 하도록 북돋우는 공포가 바로 책임의 본질적 속성이며, 우리가 뜻하는 공포도 바로 그런 것이다. 이것은 또한 책임의 대상에 대한 공포이기도 하다.
- 모든 생명체는 더 이상의 정당화를 필요로 하지 않는 자신의 고유한 목적이다. 이 점에 있어서 인간은 다른 생명체에 대해 우선권을 가지지 않는다. 단지 인간만이 생명을 위하여, 즉 그들의 자기 목적을 보호하기 위하여 책임을 가질 수 있다는 사실은 예외이다.

관점 \ 학생	갑	을	병	정	무
도덕 철학은 미래의 공포보다는 희망을 논의의 대상으로 삼아야 한다.	V			V	V
현세대는 미래 세대를 위해 과학 기술의 발전을 완전히 포기해야 한다.	V		V		V
책임을 질 수 있는 능력을 지니는 존재는 책임의 의무를 지니게 된다.		V		V	V
인류의 존속을 위해 현세대는 미래 세대에 대해 비호혜적 책임을 실천해야 한다.		V	V	V	

① 갑 ② 을 ③ 병 ④ 정 ⑤ 무

[21913-0043] ○ △ ✕

3 (가)의 주장을 (나) 그림으로 나타낼 때, ㉠에 대한 반론의 근거로 가장 적절한 것은? [3점]

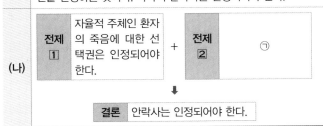

(가)	안락사를 허용하는 것은 자율적 주체인 환자의 죽음에 대한 선택권을 인정하는 것이다. 따라서 안락사는 인정되어야 한다.

(나)

전제 ①	자율적 주체인 환자의 죽음에 대한 선택권은 인정되어야 한다.	+	전제 ②	㉠

↓

결론	안락사는 인정되어야 한다.

① 환자의 자발적인 결정이 환자 가족을 위한 결정은 아니다.
② 의료 자원의 효율적 사용은 사회 전체의 이익을 증대한다.
③ 극심한 고통 속 환자는 자율적 판단 능력이 결여되어 있다.
④ 삶을 존엄하게 마감할 것인지의 결정은 환자의 기본권이다.
⑤ 환자에 대한 연명 치료는 환자의 인격을 존중하는 것이 아니다.

[21913-0044] ○ △ ✕

4 갑의 입장에 비해 을의 입장이 갖는 상대적 특징을 그림의 ㉠ ~ ㉤ 중에서 고른 것은?

갑: 과학 기술은 객관적인 진리를 다루고 있기 때문에 연구에 사회적 가치가 개입되어서는 안 된다. 또한 과학적 탐구는 전문적인 것이어서 연구자 이외의 사람들의 판단을 따르면 객관성이 훼손될 수 있다. 따라서 과학 기술은 연구의 목적 설정 및 연구 과정에서 자율성을 보장받아야 하며 연구 결과의 활용에 대한 책임은 활용한 사람들에게 있다고 보아야 한다.

을: 과학 기술의 연구는 어느 정도 진행된 다음에는 그 방향을 바꾸기가 거의 불가능하다. 또한 연구의 결과는 연구자 개인뿐 아니라 예측하기 힘들 정도로 많은 사람의 삶을 바꾸어 놓는다. 따라서 과학 기술은 연구의 목적 설정부터 연구 과정과 결과 활용까지 모두 사회적인 가치 판단으로부터 자유로울 수 없다.

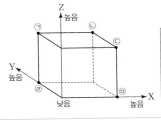

X: 과학 기술의 가치 중립성을 강조하는 정도
Y: 과학 기술 연구에서 사회적 영향력을 고려하는 정도
Z: 과학 기술 연구에 대한 윤리적 규제를 강조하는 정도

① ㉠ ② ㉡ ③ ㉢ ④ ㉣ ⑤ ㉤

[21913-0045] ○ △ ✕

5 다음 동양 사상의 입장으로 옳지 <u>않은</u> 것은?

혼례(昏禮)란 장차 두 성(姓)이 합하여 위로는 그것으로써 조상을 섬기고, 아래로는 그것으로써 후세를 잇는 것이다. 공경하고 삼가며 바르게 한 뒤에 친하게 되는 것이 예의 근본정신이며, 남녀의 구별이 이루어져야 부부의 의가 확립된다. 부부의 의가 있어야 부자의 친함이 있게 되고, 부자의 친함이 있어야 군신의 의가 있게 된다. 그러므로 혼례가 예의 근본이라고 말하는 것이다.

① 부부 사이에도 서로 예를 지키는 것이 중요하다.
② 부부는 가통(家統)을 잇는 일을 중히 여겨야 한다.
③ 부부간에 분별이 있어야 부부간의 옳음이 성립된다.
④ 부부는 서로 친애해야 하므로 의를 따져서는 안 된다.
⑤ 부부 관계의 도리를 다할 때 다른 인간관계가 바르게 될 수 있다.

[21913-0046] ○ △ ✕

6 (가)의 사상가 갑, 을, 병의 입장을 (나) 그림으로 탐구할 때, A~D에 해당하는 적절한 질문만을 〈보기〉에서 있는 대로 고른 것은? [3점]

(가)

갑: 동물 학대는 동물의 고통에 대한 공감을 둔화시키고, 도덕성에 매우 이로운 자연적 소질을 약화시키며, 인간의 자기 자신에 대한 의무에 어긋난다.

을: 우리가 어떤 존재에게 좋은 것 또는 나쁜 것이 있다고 말할 수 있다면, 그 존재는 고유의 선을 갖는다. 고유의 선을 갖는 존재는 내재적 가치를 지닌다.

병: 대지는 인간을 비롯한 자연의 모든 존재가 서로 그물망처럼 얽혀 있는 공동체이다. 우리는 그 구성원으로서 공동체에 대한 존경심을 가져야 한다.

(나)

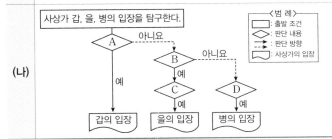

사상가 갑, 을, 병의 입장을 탐구한다.

〈범례〉
▢ : 출발 조건
◇ : 판단 내용
→ : 판단 방향
⇢ : 사상가의 입장

〈보기〉
ㄱ. A: 인간은 도덕적 행위의 주체로서 자연 보전의 의무가 있는가?
ㄴ. B: 개체론적 관점에서 도덕적 고려 대상의 범주를 설정해야 하는가?
ㄷ. C: 쾌고 감수 능력을 지닌 존재는 내재적 가치를 지니는가?
ㄹ. D: 단기적인 경제적 관점에서 자연의 가치를 평가하는 것은 잘못인가?

① ㄱ, ㄴ ② ㄱ, ㄹ ③ ㄴ, ㄷ
④ ㄱ, ㄷ, ㄹ ⑤ ㄴ, ㄷ, ㄹ

7 (가)의 갑, 을의 사상적 입장에서 (나) 상황 속 A에게 공통적으로 제시할 조언으로 가장 적절한 것은?

(가)	갑: 인(仁)은 사람을 사랑하는 것이며 절제 있게 생활하고 정성스럽고 조심스럽게 일하고 성의를 갖고 사람을 대하는 것이다. 따라서 말은 진실하고 참되게 하며, 행동은 착실하고 조심성이 있어야 한다. 친구가 잘못을 하면 충고하여 바른길로 인도해야 하며, 그래도 듣지 않으면 지나치게 충고하기보다는 그대로 두고 형편을 살피는 것이 좋다. 을: 개인의 정체성은 타인과의 관계 속에서 형성된다. 나는 형제이고, 사촌이고, 손자이고, 이 공동체의 구성원이다. 이것들은 나의 본질의 한 부분이며 이들을 통해 나의 책무와 의무가 정의된다. 개인들은 서로 결합되어 있는 일련의 사회적 관계 내에서 특정한 사회적 공간을 계승한다.
(나)	A는 얼마 전 헤어진 남자 친구가 새로운 여자 친구와 다정하게 찍은 사진을 올려 놓은 SNS를 보았다. 헤어진 지 얼마 지나지 않아 다른 사람과 웃고 있는 얼굴을 보니 배신감이 들어 악성 댓글을 달고 싶지만 조금 망설이고 있다.

① 자신의 행위가 보편적 도덕 법칙에 부합하는 것인지 생각하세요.

② 자신의 행위가 타인의 입장을 고려하는 유덕한 것인지 생각하세요.

③ 자신의 행위가 공리의 원리에 따라서 선택한 것인지 생각하세요.

④ 자신의 행위가 타고난 경향성을 극복하고 선택한 것인지 생각하세요.

⑤ 자신의 행위가 감정을 배제한 합리적인 판단에 따른 것인지 생각하세요.

8 (가)의 갑, 을, 병 사상가들의 입장을 (나) 그림으로 표현할 때, A~D에 들어갈 적절한 진술만을 〈보기〉에서 있는 대로 고른 것은? [3점]

(가)	갑: 분배적 정의의 완결된 원리는 오직 다음일 것이다. 한 분배는 그 분배하에서 모든 사람이 자신이 소유하고 있는 것들에 대해 소유 권리가 있을 경우 정의롭다. 을: 분배가 반드시 균등해야 할 필요는 없으나, 그것은 모든 사람에게 이익이 되도록 이루어져야 하며, 동시에 권한을 갖는 직위와 명령을 내릴 수 있는 직책은 누구에게나 접근 가능한 것이어야 한다. 병: 분배에서 옳음은 동등한 사람에게 동등한 몫을 분배하는 것이다. 분배에서 옳음은 일종의 비례라고 할 수 있는데, 이 비례는 비율과 비율의 균등성을 의미하며 기하학적 비례에 해당한다.
(나)	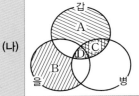 〈범례〉 A: 갑만의 입장 B: 을만의 입장 C: 갑과 병만의 공통 입장 D: 갑, 을, 병의 공통 입장

〈 보기 〉

ㄱ. A: 최소 국가 이상의 포괄적 국가가 개인의 권리를 침해하는 것은 아니다.

ㄴ. B: 각자가 자유롭고 평등한 가상의 원초적 입장에서 정의의 원칙을 마련해야 한다.

ㄷ. C: 동등하지 못한 사람이 동등한 몫을 받는 경우도 분배적 정의가 실현된 것이다.

ㄹ. D: 사회적·경제적 불평등을 허용해도 분배에 있어서 정의 실현이 가능하다.

① ㄱ, ㄴ   ② ㄱ, ㄷ   ③ ㄴ, ㄹ

④ ㄱ, ㄷ, ㄹ   ⑤ ㄴ, ㄷ, ㄹ

9 (가)의 갑, 을, 병의 입장에서 서로에게 제기할 수 있는 비판을 (나) 그림으로 표현할 때, A~F에 해당하는 내용으로 가장 적절한 것은? [3점]

(가)	갑: 다문화 사회에서 사회 혼란 방지를 위해 이주민의 문화를 주류 문화로 편입시켜야 한다. 따라서 국가는 이주민이 출신국의 언어와 문화적 특성을 포기하고 주류 사회에 동화될 수 있는 정책을 시행해야 한다. 을: 다문화 사회에서 이주민의 고유하고 다양한 문화를 평등하게 인정해야 한다. 따라서 국가는 다양한 문화가 각각의 정체성을 유지하면서 대등하게 조화를 이룰 수 있는 정책을 시행해야 한다. 병: 다문화 사회에서 이주민이 지닌 소수 문화는 주류 문화와 마찬가지로 존중받아야 한다. 따라서 국가는 이주민의 문화적 정체성은 인정하되, 주류 문화를 중심으로 조화롭게 공존할 수 있는 정책을 시행해야 한다.
(나)	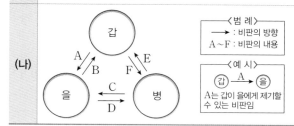

① B: 이주민의 고유한 문화를 인정하지 않으면 사회 갈등이 발생할 수 있음을 간과한다.

② E: 주류 문화에 이주민의 문화를 흡수시켜야 사회적 유대가 증진될 수 있음을 간과한다.

③ A, F: 다양한 문화의 공존을 위해 주류 문화와 비주류 문화를 구분해야 함을 간과한다.

④ B, D: 이주민의 사회 적응을 위해 이주민 문화의 고유성을 인정해야 함을 간과한다.

⑤ C, E: 사회적 결속력을 높이기 위해 단일한 문화 정체성을 형성해야 함을 간과한다.

10 ㉠에 들어갈 적절한 내용만을 〈보기〉에서 있는 대로 고른 것은?

> 통일은 이산가족의 고통을 해소하고, 민족 역량을 결집해 한반도에 번영과 평화를 가져다줄 것이며, 동북아시아의 평화 중심국으로서의 위상을 제고시킬 것이다. 또한 분단 비용이 소멸되고 시장이 확대되어 경제적 편익도 클 것이다. 그런데 어떤 사람들은 "남북한 통일을 위해서는 막대한 양의 평화 비용과 통일 비용을 지출해야 한다. 따라서 통일은 우리 국민에게 손해만 초래한다."라고 주장한다. 나는 이러한 주장이 '⣿⣿⣿⣿ ㉠ ⣿⣿⣿⣿'는 점을 간과하고 있다고 생각한다.

〈 보기 〉

ㄱ. 평화 비용을 지출함으로써 분단 비용을 줄일 수 있다.

ㄴ. 평화 비용은 남북한 분단에 따라 발생하는 소모성 비용이다.

ㄷ. 통일 비용은 체제를 통합하지 않더라도 지출할 수밖에 없다.

ㄹ. 통일 비용은 남북한 격차 해소와 이질성을 통합하는 데 기여할 수 있다.

① ㄱ, ㄷ   ② ㄱ, ㄹ   ③ ㄴ, ㄹ

④ ㄱ, ㄴ, ㄷ   ⑤ ㄴ, ㄷ, ㄹ

06회 미니모의고사

제한 시간 15분 / 배점 25점

○ 알고 맞힘 /10 △ 헷갈림 /10 ✕ 모르고 틀림 /10

[21913-0051] ○ △ ✕

1 ㉠에 들어갈 진술로 가장 적절한 것은?

> 윤리학은 사람들이 따라야 할 올바른 행위 방식이나 사람들이 살아가야 할 올바른 삶의 유형을 제시해야 한다. 이를 위해 윤리학은 도덕 이론을 연구하여 도덕 원리를 정당화하고, 사람들이 해야 할 것과 하지 말아야 할 것의 객관적 기준을 마련해야 한다. 그러나 어떤 학자들은 "윤리학이 '옳음'과 '그름', '선'과 '악' 같은 도덕적 개념과 그 속에 내포되어 있는 논리적 구조 분석을 통해 도덕적 언어의 의미를 명확하게 하는 것을 주요 과제로 삼아야 한다."라고 주장한다. 나는 이러한 주장이 '(㉠)'고 생각한다.

① 도덕 추론의 타당성 검증보다 도덕 문제에 대한 해결책 제시를 강조하고 있다.
② 도덕 판단의 준거가 되는 도덕적 규범 체계의 정립이 중요함을 간과하고 있다.
③ 도덕적 논의에서 사용되는 도덕적 개념의 의미 분석이 필요함을 간과하고 있다.
④ 도덕규범의 제시보다 윤리학의 학문적 성립 가능성 탐구가 중요함을 간과하고 있다.
⑤ 도덕적 관행을 관찰하여 사회에서 통용되는 도덕규범을 기술할 것을 강조하고 있다.

[21913-0052] ○ △ ✕

2 갑, 을 사상가들의 입장에서 질문에 모두 옳게 대답한 것은?

> 갑: 사형은 등가성의 원리에 따른 것이며, 정당한 보복의 수단이지만 인간을 다른 목적을 위한 수단으로 취급한 것이 아니다. 사법적 형벌은 그가 범죄를 저질렀기 때문에, 항상 그 이유 때문에 그에게 가해지지 않으면 안 된다.
> 을: 사형은 한 사람의 시민에 대한 국가의 전쟁이다. 법은 개개인의 특수 의사의 총체인 일반 의사를 대표한다. 그런데 자신의 생명을 빼앗을 권능을 타인에게 기꺼이 양도할 자가 세상에 있겠는가? 사형을 대체한 종신 노역형만으로도 가장 완강한 자의 마음을 억제시키기에 충분한 정도의 엄격성을 기할 수 있다.

	질문	대답	
		갑	을
①	사형은 살인에 상응하는 보복을 위한 형벌로서 정당한가?	아니요	예
②	형벌의 시행이 사회적 이익을 증진하는 데 기여해야 하는가?	예	아니요
③	형벌은 더 큰 악을 제거할 것이 보장되는 한에서만 허용되는가?	예	아니요
④	형벌은 범죄와 형벌 간에 비례 관계를 유지하면서 집행되어야 하는가?	예	예
⑤	살인범을 종신 노역형에 처하는 것은 사형 이상의 효과를 가져오는가?	아니요	아니요

3 (가)의 갑, 을의 입장을 (나) 그림으로 표현할 때, A~C에 해당하는 적절한 진술만을 〈보기〉에서 있는 대로 고른 것은? [3점]

(가)	갑: 환자는 하나의 인격이며, 따라서 의사의 충분한 설명에 근거해 외적 강제가 없는 상태에서 치료 계획에 대해 동의 여부를 결정할 권한을 갖는다. 의사는 환자가 의사의 의료적 개입에 대해 자율적으로 권한을 부여하는 경우에만 환자에 대해 의료적 개입을 해야 한다. 을: 환자가 심각한 상해의 위험에 처해 있고, 이 상해가 방지될 수 있는 것이라면 의사는 환자의 자발적 거부 의사(意思)에도 불구하고, 마땅히 상해를 방지할 적극적 의무를 이행해야 한다. 환자의 자율적 선택권에 대한 존중은 의사의 도덕적 의무이지만, 환자의 더 큰 이익을 위한 의사의 처치 또한 의사의 도덕적 의무이다.
(나)	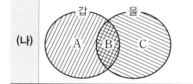 〈범 례〉 A: 갑만의 입장 B: 갑, 을의 공통 입장 C: 을만의 입장

〈 보기 〉

ㄱ. A: 의사는 환자의 이익을 명분으로 환자의 결정권을 제약해서는 안 된다.
ㄴ. B: 의사는 해악 금지의 원칙을 자율성 존중의 원칙보다 우선해야 한다.
ㄷ. B: 의사는 외적 강제가 없는 상태에서 내린 환자의 결정을 존중해야 한다.
ㄹ. C: 의사는 환자의 자발적 거부에 반하는 적극적 선행의 의무를 이행할 수 있다.

① ㄱ, ㄴ ② ㄱ, ㄷ ③ ㄴ, ㄹ
④ ㄱ, ㄷ, ㄹ ⑤ ㄴ, ㄷ, ㄹ

4 (가)의 갑, 을의 입장을 (나) 그림으로 탐구할 때, A~D에 해당하는 적절한 질문만을 〈보기〉에서 있는 대로 고른 것은? [3점]

(가)	갑: 정보는 다른 생산품들과 달리 무한으로 복제되더라도 소모되지 않는다. 또한 생산된 정보는 대부분 공유된 지식과 정보를 바탕으로 하고 있으므로 개인이나 기업의 배타적 창작권을 인정해 주기 어렵다. 오히려 정보를 공공재로 인식할 때 질 높은 정보 생산을 위한 창작 활동이 활성화되고 사회가 발전할 수 있다. 을: 정보를 시장에서 거래되는 상품으로 보아야 한다. 정보 역시 창작자의 노력과 투자에 대한 결과물이므로 그에 대한 배타적 권리를 인정해 주는 것이 당연하다. 정보 창작자에 대한 권리 보장은 양질의 정보 생산과 사회 발전에 필수적이다.
(나)	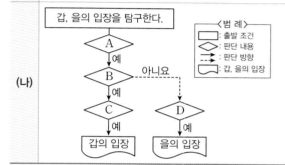

〈 보기 〉

ㄱ. A: 지식과 정보를 공유해야 할 자산으로 보아야 하는가?
ㄴ. B: 정보에 대한 사적 소유권 제한이 사회 발전에 기여하는가?
ㄷ. C: 정보 공유를 통해 양질의 정보 생산을 활성화할 수 있는가?
ㄹ. D: 정보 생산에 대한 경제적 보상이 생산 의욕을 고취시키는가?

① ㄱ, ㄴ ② ㄱ, ㄹ ③ ㄷ, ㄹ
④ ㄱ, ㄴ, ㄷ ⑤ ㄴ, ㄷ, ㄹ

[21913-0055] ○ △ ✕

5 (가)의 갑, 을, 병 사상가들의 입장에서 서로에게 제기할 수 있는 비판을 (나) 그림으로 표현할 때, A~E에 해당하는 옳은 내용만을 〈보기〉에서 있는 대로 고른 것은? [3점]

(가)	갑: 어떤 존재의 고통을 고려하지 않는 도덕적 논증은 있을 수 없다. 이익 평등 고려의 원리는 존재들 간의 동일한 고통을 동등하게 취급할 것을 요구한다. 을: 모든 생물은 내재적 가치를 지닌 동등한 목적론적 삶의 중심이다. 생명 공동체의 구성원으로서 자신의 성장, 발전, 번식을 지향하는 존재는 고유한 선을 지닌다. 병: 욕구를 가진 존재는 타자와 구분되는 자신의 복지를 갖고 있다. 이 존재는 희망과 목적을 가지고 있는 삶의 주체이며 수단으로 대우받아서는 안 된다.

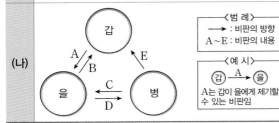

(나)

〈범례〉
⟶ : 비판의 방향
A~E : 비판의 내용

〈예시〉
갑 ⟶A⟶ 을
A는 갑이 을에게 제기할 수 있는 비판임

〈보기〉
ㄱ. A: 종(種)의 차이만으로 도덕적 지위에 차별을 두어서는 안 됨을 간과한다.
ㄴ. E: 쾌고 감수 능력이 삶의 주체인 동물의 복리(福利) 고려를 위한 충분조건이 아님을 간과한다.
ㄷ. B, D: 인간은 생명체에 끼친 해악에 대한 보상적 정의의 의무를 지님을 간과한다.
ㄹ. C, E: 성장한 포유 동물이 인간의 이익을 위한 자원으로 대우받을 수 있음을 간과한다.

① ㄱ, ㄴ 　② ㄴ, ㄷ 　③ ㄷ, ㄹ
④ ㄱ, ㄴ, ㄹ 　⑤ ㄱ, ㄷ, ㄹ

[21913-0056] ○ △ ✕

6 갑, 을 모두 긍정의 대답을 할 질문으로 가장 적절한 것은?

갑: '어떤 행위가 최대의 유용성을 낳는가?'를 중시해야 한다. 즉 행위가 초래할 결과를 옳은 행위의 결정 기준으로 삼아야 한다.
을: '어떤 규칙이 최대의 유용성을 낳는가?'를 중시해야 한다. 즉 대안이 되는 규칙 중에 더 큰 유용성을 산출하는 규칙을 따라야 한다.

① 도덕 판단에서 행위의 결과보다 동기가 중요한가?
② 선의지를 따른 행위만이 도덕적 가치를 지니는가?
③ 유용성을 옳은 행위를 판단하는 기준으로 보는가?
④ 자신의 행동이 타인에게 미칠 영향은 고려하지 않아도 되는가?
⑤ 공리를 극대화할 가능성이 가장 큰 규칙에 따른 행위만이 옳은가?

[21913-0057] ○ △ ✕

7 갑, 을 사상가들의 입장에 대한 옳은 설명만을 〈보기〉에서 고른 것은?

갑: 좋은 리듬, 좋은 말씨, 조화로움, 우아함 등은 좋은 품성을 갖게 한다. 반면에 꼴사나움과 나쁜 리듬과 부조화는 나쁜 말씨와 나쁜 성격을 갖게 한다.
을: 사람은 즐거움을 느끼지 않을 수 없고, 즐거우면 그 감정을 드러내지 않을 수 없다. 그러나 적절하지 않으면 어지럽다. 선왕이 그 어지러움을 미워하여 아송(雅頌)과 같은 훌륭한 음악을 제작하여 백성을 바르게 이끌었다.

〈보기〉
ㄱ. 갑은 예술과 도덕이 무관하다고 본다.
ㄴ. 을은 예술이 도덕적 교화의 도구가 될 수 있다고 본다.
ㄷ. 을은 예술이 윤리적 기준이나 사회적 관습으로부터 자유로워야 한다고 본다.
ㄹ. 갑, 을은 예술이 올바른 품성 함양을 목적으로 해야 한다고 본다.

① ㄱ, ㄴ 　② ㄱ, ㄷ 　③ ㄴ, ㄷ
④ ㄴ, ㄹ 　⑤ ㄷ, ㄹ

[21913-0058] ○ △ ✕

8 갑, 을 사상가들의 입장에 대한 옳은 설명만을 〈보기〉에서 있는 대로 고른 것은? [3점]

> 시민 불복종은 정의로운 제도를 유지하고 강화하는 데 도움이 됩니다. 법에 대한 충실성의 한계 내에서 공동의 정의관에 바탕하여 부정의에 저항함으로써 거의 정의로운 사회에 안정을 가져옵니다.

> 시민 불복종은 개인의 양심에 따라 행할 수 있습니다. 법에 대한 존경심 때문에 선량한 사람이 불의의 하수인이 되어서는 안 됩니다. 내가 떠맡아야 할 유일한 책무는 내가 옳다고 생각하는 일을 행하는 것입니다.

 갑    을

〈 보기 〉
ㄱ. 갑은 시민 불복종은 공유된 정의관의 변화를 호소하는 정치 행위라고 본다.
ㄴ. 을은 의도적인 위법 행위는 시민 불복종이 될 수 없다고 본다.
ㄷ. 갑은 다수의 정의관에서, 을은 개인의 양심에서 시민 불복종의 정당화 근거를 찾는다.
ㄹ. 갑, 을은 정부의 정책이나 법은 정의라는 상위의 가치에 합당해야 한다고 본다.

① ㄱ, ㄴ   ② ㄴ, ㄷ   ③ ㄷ, ㄹ
④ ㄱ, ㄴ, ㄹ   ⑤ ㄱ, ㄷ, ㄹ

[21913-0059] ○ △ ✕

9 (가)를 주장한 사상가의 입장에서 볼 때, (나)의 ㉠에 대한 옳은 설명만을 〈보기〉에서 있는 대로 고른 것은? [3점]

(가)	만민의 대표자들이 자기가 속한 국가의 국력이나 경제 발전 수준 등을 알지 못하면 그들은 경제적 문제와 관련해 어떤 정의 원칙을 채택할 것인가? 이 상황에서는 최소 수혜자에게 최대 이익이 주어지는 차등의 원칙이 아니라 단지 '고통받는 사회'가 질서 정연한 만민의 사회가 될 수 있도록 정치 제도를 개선하는 데 목표를 둔 국가 간 정의 원칙만을 채택할 것이다.
(나)	원래 다른 나라나 다른 나라 국민에 대한 경제적·정신적 지원을 뜻하는 [㉠]은/는 최근에는 일방적 시혜가 아닌 상호 협력을 중시하는 방향으로 이루어지고 있다.

〈 보기 〉
ㄱ. 고통을 겪고 있는 사회의 자유와 평등 확립을 궁극적 목적으로 하는 것이다.
ㄴ. 자율적 선택에 의해 소득 일부를 기부하는 행위로 부유한 사람만 가능한 것이다.
ㄷ. 국가 간에 천연 자원 분포의 우연성을 조정함으로써 자원을 재분배하려는 것이다.
ㄹ. 사회 정의 실현이 가능한 적정 수준의 정부가 작동하면 중단되어야 하는 것이다.

① ㄱ, ㄷ   ② ㄱ, ㄹ   ③ ㄴ, ㄷ
④ ㄱ, ㄴ, ㄹ   ⑤ ㄴ, ㄷ, ㄹ

[21913-0060] ○ △ ✕

10 (가)의 입장에 비해 (나)의 입장이 갖는 상대적 특징을 그림의 ㉠~㉤ 중에서 고른 것은?

(가) 샐러드 그릇 안에서 각기 다른 맛, 향, 색을 가진 다양한 채소와 과일들은 서로 섞이면서도 각자 고유의 맛을 지킨다. 이렇듯 여러 문화는 각각의 고유한 특성을 대등하게 유지하면서 조화를 이루어야 한다.

(나) 용광로에 들어간 여러 광석은 녹아 섞여 한 덩어리가 되어 새로운 모습으로 탄생한다. 이처럼 사회 안에 존재하는 다양한 문화도 용광로에서 함께 녹아들고 섞여 만들어진 쇠붙이처럼 새로운 모습으로 탄생해야 한다.

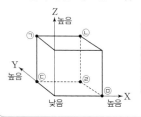

X: 다양한 문화들의 상호 공존을 강조하는 정도
Y: 이민자 문화의 문화 정체성 포기를 강조하는 정도
Z: 문화 단일성 논리에 따라 문화를 바라볼 것을 강조하는 정도

① ㉠   ② ㉡   ③ ㉢   ④ ㉣   ⑤ ㉤

07회 미니모의고사

제한 시간 15분 / 배점 25점

EBS 수능특강 Q 미니모의고사 **생활과 윤리**

○ 알고 맞힘 / 10   △ 헷갈림 / 10   ✕ 모르고 틀림 / 10

[21913-0061]   ○ △ ✕

1 다음에서 강조하는 윤리학의 주요 과제로 가장 적절한 것은?

도덕 명령과 비도덕적인 행위의 동기들 사이에서 갈등이 빚어질 때 도덕 문제는 발생한다. 실제로 도덕 명령과 금지는 현실적으로 우리가 갖고 있는 직접적인 희망이나 관심과 수시로 대립한다. 예를 들어 자연환경에 대한 미래 세대의 권리 주장은 현세대의 권리 주장과 서로 충돌한다. 이 경우 윤리학은 미래 세대의 권리도 정당화해야 하고, 다른 한편으로는 세대 간 이해관계를 조정할 수 있는 정당한 기준도 마련해야 한다. 즉 윤리학은 구체적인 윤리 주제들에서 나타나는 가치 갈등을 해결하기 위해 이론 윤리를 토대로 현실에 적용할 수 있는 실천적 규범 원리를 탐구하고 해결책을 모색해야 한다.

① 윤리학의 주요 과제는 인격적 존재의 권리만을 정당화하는 것이어야 한다.
② 윤리학의 주요 과제는 도덕적 진술의 옳고 그름에 대한 논증적 분석이어야 한다.
③ 윤리학의 주요 과제는 삶에서의 구체적인 도덕 문제들에 대한 해결이어야 한다.
④ 윤리학의 주요 과제는 구체적인 윤리적 관행을 객관적으로 서술하는 것이어야 한다.
⑤ 윤리학의 주요 과제는 보편타당한 도덕 이론의 정립보다 도덕적 언어의 의미 분석이어야 한다.

[21913-0062]   ○ △ ✕

2 갑, 을의 입장에서 서로에 대해 제시할 수 있는 비판으로 가장 적절한 것은?

갑: 다문화 사회에서는 이주민들이 제대로 적응하고 정착하도록 도와야 합니다. 이주민들이 안정적으로 사회에 적응하기 위해서는 이들이 기존 사회에 대한 정보를 쉽게 이해하고 습득할 수 있도록 다양한 정책적 프로그램을 개발하는 것이 필요합니다. 그래야 이민자들이 자신들의 문화적 정체성에서 벗어나 기존 사회의 고유한 정체성에 편입할 수 있기 때문입니다.

을: 사회의 안정이란 다양한 가치와 차이를 말살하는 것이 아닙니다. 서로 다른 맛과 향기를 가진 야채와 과일들이 하나의 그릇 속에서 뒤섞여 존재하면서도 전체적으로 조화로운 맛을 내는 샐러드처럼 다양한 문화가 공존하는 가운데 사회의 안정을 추구해야 합니다. 샐러드 그릇 속에서 어떤 야채가 더 중요하다고 결정할 수 없듯이, 보편적 도덕 원리에 어긋나는 문화적 현상을 제외한 모든 문화가 동등하게 공존할 수 있도록 해야 합니다.

① 갑이 을에게: 소수 문화의 정체성을 바탕으로 기존 문화를 변화시켜야 한다.
② 갑이 을에게: 특정한 관점에서 서로 다른 문화적 전통을 차별해서는 안 된다.
③ 갑이 을에게: 윤리적 상대주의에 입각해서 모든 문화적 전통을 허용해야 한다.
④ 을이 갑에게: 소수 민족을 동화시키려는 동일성의 논리를 강요해서는 안 된다.
⑤ 을이 갑에게: 여러 민족의 다양한 문화를 한 사회 내에서 공존하게 해서는 안 된다.

 [21913-0063] ○ △ ✕

3 (가)의 갑, 을의 입장을 (나)의 그림으로 표현할 때, A~C에 해당하는 진술로 가장 적절한 것은? [3점]

(가)	갑: 과학자는 자신이 발견한 과학적 사실을 거짓 없이 학술지에 발표할 책무만을 지닐 뿐, 이것이 어떻게 이용될 것인지에 대한 책무는 지니지 않습니다. 일례로 아서 갤스턴은 합성 사료의 사용이 식물의 개화 속도를 앞당길 수 있으며 추운 기후에서도 작물을 재배할 수 있게 해 준다는 것을 발견하고 이를 학술지에 발표했는데, 이것으로 그의 과학자로서의 책무는 완전히 충족된 것입니다. 을: 과학자의 책무는 그것 이상이어야 합니다. 아서 갤스턴은 자신의 연구 결과가 베트남 전쟁에서 사용된 고엽제 제조에 응용된 것을 알고, 이것이 인간과 환경에 미칠 영향을 연구했습니다. 그런 다음 사용 중단 운동을 전개했고, 마침내 사용 중단이라는 결정을 이끌어 내는 데 주도적 역할을 했습니다. 과학자는 연구에서의 진실성은 물론, 연구 결과의 사회·정치적 응용에 대해서도 책무를 지닌다는 점을 놓쳐서는 안 됩니다.
(나)	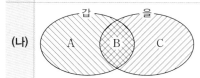 〈범례〉 A: 갑만의 입장 B: 갑, 을의 공통 입장 C: 을만의 입장

① A: 과학자는 연구 결과가 인간과 환경에 미칠 영향에 대해 도덕적 책무를 지닌다.

② B: 과학자는 자연적 사실의 관찰과 발견에서 위조나 변조 행위를 해서는 안 된다.

③ B: 과학자는 정치적 목적에 이용되는 과학적 지식에 대해 공적 책무를 져야 한다.

④ C: 과학자는 자연 현상에 대한 판단을 할 때 도덕적·정치적 이념에 기초해야 한다.

⑤ C: 과학자는 연구자로서 내적 책임에 전념할 수 있도록 외적 책임으로부터 자유로워야 한다.

 [21913-0064] ○ △ ✕

4 그림은 서술형 평가 문제와 학생 답안이다. 학생 답안의 ㉠~㉤ 중 옳지 <u>않은</u> 것은? [3점]

서술형 평가

◎ **문제**: 갑, 을 사상가들의 인간과 자연에 대한 입장을 비교하여 서술하시오.

> 갑: '삶의 주체'란 개념은 믿음, 욕망, 정서적 삶, 그리고 순간순간의 시간을 넘어서는 심리학적 의미에서의 정체성, 자신의 욕망을 추구할 능력을 의미한다.
>
> 을: '땅(대지)의 윤리'에서는 어떤 것이 생명 공동체의 온전함과 안정성, 그리고 아름다움의 보전에 기여하는 경향이 있으면 옳고, 그렇지 않으면 그르다.

◎ **학생 답안**

갑은 ㉠ 도덕적 행위자일 수도 있고, 도덕적 수동자(무능력자)일 수도 있는 삶의 주체 개념에 기초해 도덕적 고려의 범위를 주장하는 반면, 을은 ㉡ 생명 공동체의 근거를 땅에 두고 이를 구성하고 있는 존재들과 공동체 자체를 도덕적 고려의 범위로 주장한다. 갑은 ㉢ 삶의 주체가 다른 존재들을 위한 유용성과는 독립된 가치를 지닌다고 주장하고, 을은 ㉣ 생명 공동체인 땅이 인간의 경제적 목적을 뛰어넘어 윤리적·심미적 측면에서도 가치를 지닌다고 주장한다. ㉤ 갑은 을에게 생태계의 선을 위해 개별 구성원의 희생을 강요한다고 비판할 수 있고, 을은 갑에게 공동체의 경계가 지나치게 확장되어 삶의 주체에 대한 도덕적 권리를 적절히 설명하지 못한다고 비판할 수 있다.

① ㉠　　② ㉡　　③ ㉢　　④ ㉣　　⑤ ㉤

5 (가)의 갑, 을, 병 사상가들의 입장을 (나) 그림으로 탐구할 때, A~D에 해당하는 적절한 질문만을 〈보기〉에서 있는 대로 고른 것은? [3점]

(가)	갑: 소유물에서의 정의의 이론의 일반적인 개요를 말하자면, 한 사람의 소유물은, 취득과 이전에서의 정의의 원리 또는 불의의 교정의 원리에 의해 그가 그 소유물에 대한 권리를 부여받았으면, 정당한 것이다. 을: 재산 및 소득의 분배가 반드시 균등해야 할 필요는 없으나, 그것은 모든 사람에게 이익이 되도록 이루어져야 하며 동시에 권한을 갖는 직위와 명령을 내릴 수 있는 직책은 누구에게나 접근 가능한 것이어야 한다. 병: 분배에서 옳음은 동등한 사람에게 동등한 몫을 분배하는 것이다. 분배에서 옳음은 일종의 비례라고 할 수 있는데, 비례는 비율과 비율의 균등성을 의미하며 기하학적 비례에 해당한다.
(나)	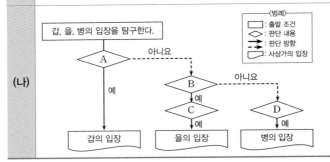

〈 보기 〉
ㄱ. A: 사유 재산을 소유할 권리는 인간의 기본적 권리로 승인될 수 있는가?
ㄴ. B: 사회적 효용을 위해 소수의 기본적 자유를 침해하는 것을 정의롭다고 보는가?
ㄷ. C: 정의로운 사회를 실현하려면 자유롭고 평등한 사람들의 협력이 필요한가?
ㄹ. D: 각 사람이 지닌 가치에 비례하여 권력이나 재화를 분배해야 하는가?

① ㄱ, ㄴ   ② ㄴ, ㄹ   ③ ㄷ, ㄹ
④ ㄱ, ㄴ, ㄷ   ⑤ ㄱ, ㄷ, ㄹ

6 (가), (나)의 관점에 대한 설명으로 옳은 것은?

> (가) 선왕이 예악(禮樂)을 제정한 것은 사람들을 절제시키기 위함이었다. 마(麻)로 지은 상복(喪服)을 입고 곡읍(哭泣)을 하는 것은 상사(喪事)의 규모를 절제하기 위한 것이고, 종(鐘)과 북의 음과 방패와 도끼 등의 춤을 추는 것은 조화와 안락을 위한 것이다. 혼인과 관계(冠筓)의 제도를 행하는 것은 남녀를 구별하기 위함이며, 사향(射鄕)이나 술과 음식으로 빈객을 상대하는 것은 교제와 접대를 바르게 하기 위함이었다.
>
> (나) 예는 재물의 낭비를 가져올 뿐이다. 불필요한 낭비를 없애 백성의 수고로움을 덜어 준다면 천하에 이로울 것이다. 지금 오직 임금이나 대신들이 음악을 좋아하여 듣기만 한다면 국가는 어지러워지고 나라는 위태로워진다. 지금 오직 관리로 있는 사람이 음악을 좋아하여 듣기만 한다면 창고나 나라 곳간은 부실하게 된다. 지금 오직 농부된 사람이 음악을 좋아하여 듣기만 한다면 콩과 조가 부족하게 된다.

① (가)는 예술이 도덕적 덕을 실천하는 데 도움을 준다고 본다.
② (가)는 예술은 허례허식에 불과하므로 최소화해야 한다고 본다.
③ (나)는 예술의 도덕적 가치가 실용적 가치보다 우위에 있다고 본다.
④ (나)는 예술은 그 자체의 내재적 가치만이 중시되어야 한다고 본다.
⑤ (가)는 (나)와 달리 예술의 사회적 영향력을 유용성의 관점에서 숙고해야 한다고 본다.

7 [21913-0067]  서양 사상가 갑이 〈사례〉 속 K 씨의 행동을 도덕적이라고 평가할 때, 그 이유로 가장 적절한 것은?

> 갑: 세계 안에서나 세계 밖에서도 무제한적으로 선하다고 생각할 수 있는 것은 오직 선의지뿐이다. 선의지는 그것이 실현하거나 성취한 것 때문에, 또는 이미 주어진 어떤 목적을 달성하는 데 쓸모가 있기 때문에 선한 것이 아니라 오로지 그 자체로 선한 것이다.
>
> 〈사례〉
> 어떤 사람이 이웃집 아이를 위협하는 장면을 우연히 목격한 주민 K 씨는 자신도 위험해질 수 있다는 두려움에 이 상황을 모른 척하고 싶었지만, 마땅히 도와야 한다고 생각하여 경찰에 신고하고 그 사람의 행위를 저지하였다.

① 남을 도와야 한다는 절대적인 신의 명령에 따랐기 때문이다.
② 자신과 이웃집 사람들 모두의 행복을 극대화시켰기 때문이다.
③ 주변인들에게 칭송받을 용기의 덕을 직접 실천했기 때문이다.
④ 이웃집 아이에 대한 동정심이 자연적으로 우러나와 행동했기 때문이다.
⑤ 자연적 경향성을 극복하고 오로지 의무 의식에 따라 행동했기 때문이다.

8 [21913-0068] 갑, 을의 입장에 대한 설명으로 가장 적절한 것은? [3점]

> 갑: 적극적 우대 조치는 부와 권력을 이미 소유했던 집단으로부터 다른 집단으로 그것을 이전시키는 방법이며, 모든 사람들이 합리적 인생 계획을 세우고 실현할 수 있는 기회를 다른 사람과 똑같이 가질 수 있도록 하기 위한 수단이다.
> 을: 적극적 우대 조치는 인종적 긴장을 완화시키고, 여성과 소수 집단 성원의 성취동기를 고양시킴으로써 고도로 숙련된 노동자의 숫자를 늘리고, 그리하여 개선적이고 안정적이며 잘 조직된 사회로 이끌 수 있다. 즉 적극적 우대 조치는 사회적 이익을 증대시킬 수 있는 효율적인 방법이다.

① 갑은 적극적 우대 조치를 집단 간 불평등을 교정하기 위한 방법으로 본다.
② 갑은 적극적 우대 조치가 과거의 착취를 교정하기 위해서만 시행되어야 한다고 본다.
③ 을은 적극적 우대 조치가 보상적 정의를 실현할 경우에만 정당화된다고 본다.
④ 을은 적극적 우대 조치가 역차별을 초래하여 사회적 긴장을 확대시킨다고 본다.
⑤ 갑, 을은 평등주의가 아닌 공리주의적 입장에서 적극적 우대 조치가 정당하다고 본다.

9 [21913-0069] 다음 사상가의 입장으로 옳은 것은? [3점]

> • 원조의 역할은 고통받는 사회의 구성원이 만민이 살아가고 있는 사회의 완전한 성원이 되도록, 그리고 그들 스스로 자신이 살아갈 미래의 경로를 결정할 수 있도록 하는 데 있다.
> • 만민에게 중요한 것은 자유롭고 적정 수준을 갖춘 질서 정연한 사회에서 올바른 근거에 따라 확립한 정의와 안정성이다.

① 원조받는 모든 사회가 동등한 복지 수준에 도달하도록 도와야 한다.
② 원조의 궁극 목적은 고통받는 사회의 자유와 평등을 확립하는 것이다.
③ 전 지구적인 경제 불평등 문제를 해소하기 위해 차등의 원칙을 따라야 한다.
④ 어떤 사회인지를 구분하지 말고 빈곤으로 인해 고통받는 모든 사람을 도울 의무가 있다.
⑤ 고통받는 사회에 속한 최소 수혜자의 처지를 개선하는 것을 원조의 핵심 과제로 삼아야 한다.

10 [21913-0070] 현대 사상가 갑, 을의 입장만을 〈보기〉에서 고른 것은?

> 갑: 확대 국가를 옹호하는 분배적 정의론은 분배를 위한 재화가 어디에서 오는 것인지, 개인이 정당한 소유 자격을 갖는 소유물을 어떻게 다루어야 하는지를 충분히 고려하지 않는다. 개인들의 소유물에 대한 정당한 소유 자격이 사회 정의의 기준이 되어야 한다.
> 을: 원초적 입장에서 사람들은 정의의 두 원칙을 채택하게 된다. 이러한 원칙에 따라 기본적 자유가 평등하게 분배되고, 재화가 최소 수혜자의 최대 이익이 되도록 분배되어야 한다. 그리고 사람들은 공동의 이익을 가져오는 경우에만 자연적·사회적 여건의 우연성을 이용하기로 약속한다.

〈 보기 〉
ㄱ. 갑: 경제적 불평등 시정을 위해 소유권의 절대적 보장이 필요하다.
ㄴ. 갑: 부의 재분배 기능을 갖는 확대 국가는 개인의 자유와 권리를 침해한다.
ㄷ. 을: 개인이 타고난 능력을 발휘하여 얻은 이익을 개인의 몫으로만 볼 수 없다.
ㄹ. 을: 서로의 입장을 배려하는 이타적 인간들의 합의에 의해 정의의 원칙이 도출된다.

① ㄱ, ㄴ ② ㄱ, ㄷ ③ ㄴ, ㄷ
④ ㄴ, ㄹ ⑤ ㄷ, ㄹ

08회 미니모의고사

제한 시간 15분 / 배점 25점

EBS 수능특강 Q 미니모의고사 **생활과 윤리**

O 알고 맞힘 /10 △ 헷갈림 /10 X 모르고 틀림 /10

[21913-0071] O △ X

1 (가), (나)의 입장에 대한 옳은 설명만을 〈보기〉에서 있는 대로 고른 것은?

(가) 윤리학은 모든 도덕 행위자에게 타당한 도덕규범의 일관된 체계를 구성하는 것이므로 의무, 덕성, 공리 등의 이론적 근거를 바탕으로 도덕성의 기초를 정립해야 한다.

(나) 윤리학은 구체적인 삶의 영역에서 발생하는 실제적 도덕 문제를 해결하는 것이므로 낙태, 사형, 안락사, 시민 불복종과 같은 논란의 여지가 있는 도덕적 문제들을 다루는 데 집중해야 한다.

〈 보기 〉

ㄱ. (가)는 개인과 집단이 행동 지침으로 삼을 수 있는 옳은 행동에 관한 원리를 정립해야 한다고 본다.

ㄴ. (가)는 윤리학의 본질이 도덕적 논의의 의미론적·논리적 구조를 분명하게 밝히는 것이라고 본다.

ㄷ. (나)는 윤리학이 옳음의 기준을 제시하는 것보다 그 의미를 분석하는 것에 주력해야 한다고 본다.

ㄹ. (나)는 도덕 원리에 대한 탐구와 도덕 문제에 대한 해결 방안의 모색이 서로 무관하지 않다고 본다.

① ㄱ, ㄷ   ② ㄱ, ㄹ   ③ ㄴ, ㄹ
④ ㄱ, ㄴ, ㄷ   ⑤ ㄴ, ㄷ, ㄹ

[21913-0072] O △ X

2 (가)의 사상가 갑, 을, 병의 입장을 (나) 그림으로 탐구할 때, A~C에 해당하는 적절한 질문만을 〈보기〉에서 있는 대로 고른 것은? [3점]

(가)
갑: 원조는 '소유 권리론'에 근거해 '각자는 자신이 선택한 대로 주고, 각자는 자신이 선택된 대로 받는 것'이라는 원칙 아래에서 이루어져야 한다.

을: 원조는 경제 성장에 초점을 맞춰서는 안 되며, 친소(親疏)에 따라 이루어져서도 안 된다. 원조는 생명을 구하는 것, 고통을 줄이는 것, 사람들의 기본적 욕구를 충족시켜 주는 것에 맞춰져야 한다.

병: 원조는 세계의 가난한 사람들이 합당하게 자유적 사회의 자유롭고 평등한 시민, 또는 적정 수준의 위계적 사회의 구성원이 될 때까지 그들을 도와주는 것이어야 한다.

(나)
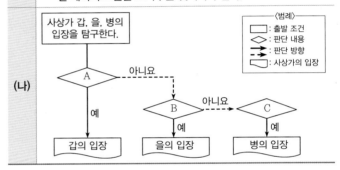

〈 보기 〉

ㄱ. A: 원조의 목적은 경제적 불평등을 조정하는 분배 정의의 실현인가?

ㄴ. B: 원조의 목적은 세계 시민적 차원에서의 공리의 증진인가?

ㄷ. B: 원조는 개인이 아닌 국가적 차원에서 해야 할 국제적 과제인가?

ㄹ. C: 원조의 목적은 고통을 겪고 있는 사회의 자유와 평등의 확립인가?

① ㄱ, ㄷ   ② ㄱ, ㄹ   ③ ㄴ, ㄹ
④ ㄱ, ㄴ, ㄷ   ⑤ ㄴ, ㄷ, ㄹ

3 다음 사상가의 죽음에 대한 입장으로 가장 적절한 것은? [3점]

> 죽음은 우리에게 아무것도 아니라는 믿음에 익숙해져야 한다. 왜냐하면 선과 악은 우리의 감각 능력을 전제해야 하는데, 죽음은 바로 모든 감각 능력의 상실을 의미하기 때문이다. 따라서 죽음이 우리에게 아무것도 아니라는 점을 명확히 알기만 한다면, 우리 삶에 있을 것이라고 믿는 무제한적인 시간 개념과 불멸성의 개념을 제거함으로써 우리의 유한한 삶을 얼마든지 즐길 수 있다.

① 인간은 죽음을 수용하는 주체적 결단을 통해 참된 실존을 회복해야 한다.
② 인간은 죽음이 원인과 결과에 의한 끝없는 윤회의 과정임을 알아야 한다.
③ 인간의 유한한 삶에 신과 죽음이 아무런 영향을 미칠 수 없음을 알아야 한다.
④ 인간은 현세의 삶을 내세의 영원한 삶을 위한 준비 과정으로 받아들여야 한다.
⑤ 인간은 죽음을 영혼이 육체로부터 해방되어 영원한 세계로 들어가는 것임을 알아야 한다.

[21913-0074] ○ △ ✕

4 ㉠에 들어갈 적절한 내용만을 〈보기〉에서 있는 대로 고른 것은?

> 정보 리터러시란 정보가 필요한 시기를 알고, 논제나 과제에 필요한 정보를 식별하고, 검색하고, 수집하고, 평가하고, 효과적으로 사용할 수 있는 능력을 말한다. 여기에는 컴퓨터를 원활히 이용하고 네트워크를 효율적으로 활용하는 능력도 포함된다. 이것이 부족한 경우 그렇지 않은 사람들에 비해 정보 격차가 심화될 수 있다. 정보 리터러시를 증진하기 위해서는 ____㉠____

〈 보기 〉
ㄱ. 능동적으로 정보를 활용할 수 있는 노력이 필요하다.
ㄴ. 정보를 다양하게 이용할 수 있는 역량을 길러야 한다.
ㄷ. 필요한 정보를 찾고 선택할 수 있는 힘을 길러야 한다.
ㄹ. 모든 정보를 비판 없이 수용하여 정보 생산 능력을 키워야 한다.

① ㄱ, ㄴ   ② ㄱ, ㄹ   ③ ㄷ, ㄹ
④ ㄱ, ㄴ, ㄷ   ⑤ ㄴ, ㄷ, ㄹ

5 다음 사상가의 입장으로 옳지 않은 것은?

> • 너의 행위의 결과가 지상에서의 진정한 인간적 삶의 지속과 양립할 수 있도록 행위 하라.
> • 생명체는 자기의 고유한, 즉 어떤 정당화도 필요로 하지 않는 목적이며, 이 점에서 인간은 다른 생명체에 비해 어떤 우선권도 가지지 않는다.

① 인간의 생명체에 대한 책임은 호혜적 관계에서 비롯된다.
② 생명체의 자기 목적성은 그 자체로서 고유한 가치를 지닌다.
③ 생명체는 정당화를 필요로 하지 않는 자기 목적성을 지닌다.
④ 현세대는 미래 세대에 대해 유대와 공감의 태도를 지녀야 한다.
⑤ 생명체로서 존재함은 인간의 생명체에 대한 책임의 전제 조건이다.

6 (가)의 갑, 을, 병 사상가들의 입장을 (나) 그림으로 표현할 때, A~D에 해당하는 적절한 진술만을 〈보기〉에서 있는 대로 고른 것은? [3점]

| (가) | 갑: 형벌은 지속적 효과를 가질 때 범죄를 더 잘 예방할 수 있다. 사형은 한 국민에 대해 국가가 이 생명을 파멸시키는 선전 포고이다.
을: 형벌에 있어 공적인 정의의 원리와 기준은 등가성의 원리이다. 자신의 개인적인 판단이야 어찌 되었든 법정에서는 오직 응보의 권리만이 형벌의 양과 질을 결정할 수 있다.
병: 형벌은 모두 그 자체로서 악이다. 공리성의 원리에 의할 때, 만약 형벌이 인정될 수 있다면, 그것은 더욱 큰 어떤 악을 없애는 것을 보장하는 한에서만 인정되어야 한다. |

갑
A
D
C
B
을   병

〈범례〉
A: 갑만의 입장
B: 을만의 입장
C: 갑, 을, 병의 공통 입장
D: 갑과 병만의 공통 입장

〈 보기 〉
ㄱ. A: 사형은 한 시민에 대한 국가의 전쟁이므로 허용되지 말아야 한다.
ㄴ. B: 형벌은 응보 이외에 다른 선을 위한 수단으로 사용되지 말아야 한다.
ㄷ. C: 형벌의 본질은 범죄자와 그 밖의 사람들의 행위를 통제하는 것이어야 한다.
ㄹ. D: 형벌은 범죄자로부터 해악을 입을 가능성을 방지하기 위해 집행되어야 한다.

① ㄱ, ㄷ   ② ㄱ, ㄹ   ③ ㄴ, ㄷ
④ ㄱ, ㄴ, ㄹ   ⑤ ㄴ, ㄷ, ㄹ

[21913-0077] ○ △ ✕

7 갑, 을의 사상적 입장에 대한 설명으로 옳지 <u>않은</u> 것은? [3점]

> 갑: 금욕적 삶이란 삶의 모든 영역을 신의 뜻에 맞게 합리적으로 조정하는 것을 말한다. 종교적으로 특별한 삶은 수도원이 아닌 세상의 질서 안에서 이루어진다. 우리는 내세를 생각하면서 세상 안에서 자신의 생활 방식을 합리적으로 조정해야 한다.
> 을: 인간은 생존을 위해 자신에게 필요한 양식을 생산해 내기 시작하면서부터 자신을 동물과 구별하기 시작했다. 하지만 자본주의에서의 기계적 노동 분업은 노동자를 기계로 전락시킨다. 인간의 노동은 공산주의 사회에서 분업적 예속으로부터 해방될 수 있다.

① 갑은 청교도에게 노동은 신의 영광을 표현하는 일이라고 본다.
② 갑은 청교도가 직업 노동에 의한 합리적 이윤 추구를 중시한다고 본다.
③ 을은 노동이 인간의 고유한 본질을 실현하는 행위가 되어야 한다고 본다.
④ 을은 기계에 예속된 노동 분업이 노동자의 소외를 더욱 심화시킨다고 본다.
⑤ 갑, 을은 노동이 내세에서의 참된 행복을 위해 유용한 가치를 지닌다고 본다.

[21913-0078] ○ △ ✕

8 갑, 을의 입장에 대한 설명으로 적절하지 <u>않은</u> 것은?

> 갑: 소비 행위를 할 때에는 자신의 경제력 안에서 최선의 제품을 구매해야 한다. 경제 활동의 가장 중요한 원칙은 '투자 대비 산출 가치의 최대화'이다. 가장 적은 돈을 소비하여 가장 활용 가치가 큰 물건을 선택하는 것이 합리적인 것이다.
> 을: 소비 행위를 할 때에는 그 행위와 관련된 다양한 연결 고리를 충분히 고려해야 한다. 인간의 경제 활동은 정치, 사회, 환경 등 다양한 영역과 관련되기 때문에 소비 행위를 할 때 이를 충분히 고려해야 한다. 예컨대 인간과 동물, 환경을 착취하고 해를 끼치는 비윤리적 상품에 돈을 지불하지 않고, 윤리적 상품에 지갑을 열어야 한다.

① 갑은 경제적 효율성을 위해 이성적 판단이 필요하다고 본다.
② 갑은 재화의 활용 가치가 크면 경제력을 벗어나는 소비가 가능하다고 본다.
③ 을은 상품을 구매하는 행위를 통해 정의를 실현하는 데 기여할 수 있다고 본다.
④ 을은 생산 과정에서 약소국의 인권을 침해하는 상품을 구매하지 말아야 한다고 본다.
⑤ 갑은 소비 행위에서 경제적 합리성을, 을은 도덕적 가치를 중시해야 한다고 본다.

[21913-0079] ○ △ ✕

9 다음 사상가의 입장만을 〈보기〉에서 있는 대로 고른 것은?

> 세계는 성스러운 것, 존재의 다양한 양태를 발견하는 방식으로 드러난다. 무엇보다도 세계는 실존하고, 실제로 거기에 있고, 그리고 어떤 구조를 가지고 있다. 세계는 신들의 작품인 피조물로 자신을 드러낸다. 이 신의 작품은 스스로 성스러운 것의 여러 양상을 계시한다. 여러 가지 우주의 리듬은 질서, 조화, 항상성, 풍요성을 명백히 드러낸다. 우주는 전체로서 실재적이고 살아 있고, 또한 성스러움을 지닌 유기체이다. 즉 그것은 존재와 신성성의 여러 양태를 계시한다. 현존재와 성현(聖顯)이 서로 만나는 것이다.

─ 〈 보기 〉 ─
ㄱ. 인간은 현실의 삶에서 초월적 성스러움을 체험할 수 있다.
ㄴ. 인간의 감각만으로 파악할 수 없는 궁극적 실재가 존재한다.
ㄷ. 초자연적인 것과 자연적인 것은 상호 모순적인 관계에 있다.
ㄹ. 자연이 지니는 성스러움은 과학적 탐구를 통해서만 인식할 수 있다.

① ㄱ, ㄴ   ② ㄱ, ㄷ   ③ ㄷ, ㄹ
④ ㄱ, ㄴ, ㄹ   ⑤ ㄴ, ㄷ, ㄹ

[21913-0080] ○ △ ✕

10 (가)의 입장에 비해 (나)의 입장이 갖는 상대적 특징을 그림의 ㉠~㉤ 중에서 고른 것은? [3점]

> (가) 예술의 눈은 아름답고 불멸하며 끊임없이 변화하는 것에 고정되어 있다. 왜냐하면 예술은 도덕이 미칠 수 있는 영역 밖에 있기 때문이다. 따라서 비평가는 절대로 정해진 관습에 따라 사고하거나 틀에 박힌 방식으로 사물을 바라보며 한계를 짓지 말아야 한다.
> (나) 예악(禮樂)을 터득한 상태를 두고 덕(德)이 있다고 말하니, 이른바 덕이라는 것은 예악에서 얻음이 있음을 뜻한다. 따라서 성(聲)을 알지 못하는 자와 더불어 음(音)을 말할 수 없고, 음을 알지 못하는 자와는 악을 말할 수 없으니, 악을 알면 예에 가깝게 된다.

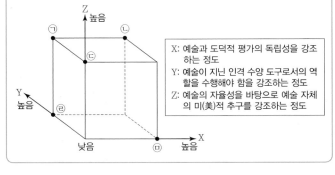

X: 예술과 도덕적 평가의 독립성을 강조하는 정도
Y: 예술이 지닌 인격 수양 도구로서의 역할을 수행해야 함을 강조하는 정도
Z: 예술의 자율성을 바탕으로 예술 자체의 미(美)적 추구를 강조하는 정도

① ㉠   ② ㉡   ③ ㉢   ④ ㉣   ⑤ ㉤

09회 미니모의고사

[21913-0081] ○ △ ✕

1 (가)의 갑, 을의 입장을 (나) 그림으로 탐구할 때, A~C에 해당하는 질문으로 적절한 것은? [3점]

(가)

갑: 윤리학은 도덕적 행위를 판정하고 평가하는 척도나 원리를 제시하여 도덕적 행위를 이끌어 내고자 한다. 또한 윤리학은 보편적 도덕 원리의 특수한 예가 될 수 있는 개개의 실천적 행위와 관련하여, 이의 정당화를 위해 사용되는 척도의 유래와 기능을 확인함으로써 도덕적 행위의 근본 원리가 될 수 있는 도덕 이론을 공고히 하고자 한다.

을: 윤리학에서 일차적으로 문제가 되는 것은 실천적 원리들에 관한 철학적 해석이 아니라 실천적 언어의 구조와 기능의 분석이다. 이를 위해 윤리학은 실천적 언어가 결합된 도덕적 명제의 논리적 타당성을 규명하고 그 속에 포함된 도덕적 행위를 객관적으로 분석하여 가치 중립적 입장에서 실제 사용된 언어들의 의미를 탐구하고자 한다.

(나)

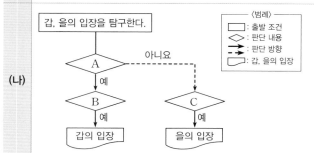

① A: 윤리학은 도덕 현상에 대한 객관적 기술에 주력해야 하는가?

② B: 윤리학은 실천 지향적이라는 점에서 순수 이론 학문과 구별되는가?

③ B: 윤리학은 도덕적 논의의 의미론적 구조 분석을 핵심 과제로 삼아야 하는가?

④ C: 윤리학은 바람직한 삶에 대한 안내를 주된 목표로 삼아야 하는가?

⑤ C: 윤리학은 도덕 문제 해결을 위한 구체적 행위 지침을 제시해야 하는가?

[21913-0082] ○ △ ✕

2 그림은 서술형 평가 문제와 학생 답안이다. 학생 답안의 ㉠~㉤ 중 옳지 않은 것은?

서술형 평가

◎ 문제: 갑, 을 사상가들의 윤리적 입장을 비교하여 서술하시오.

갑: 윤리적 원칙은 다음과 같은 인간의 자연적 본성에 의거하여 수립되어야 한다. 인간이 갖는 제1의 자연 성향은 자기 보존 본능이요, 제2의 자연 성향은 성욕과 종족 보존 본능이며, 제3의 자연 성향은 신에 관한 진리를 알려 하고 다른 인간과 더불어 사회적인 삶을 영위하려는 성향이다.

을: 윤리적 규범은 합리적 의사소통으로서 공적 담론을 통해 도출되어야 한다. 규범적 합의의 정당성을 보장받기 위해서는 담론의 참여자들은 원칙적으로 자유롭고 평등한 사람으로서 이해 가능하고 참된 말을 진실하게 제시하면서 협동적 진리 탐구에 참여해야 한다.

◎ 학생 답안

갑, 을의 입장을 비교해 보면, 갑은 ㉠ 모든 인간에게 자연적으로 주어져 있는 본성에 근거해 윤리적 원칙을 세우려 하였고, ㉡ 자살은 자연적 성향에 위배된다고 보아 반대하였다. 을은 ㉢ 공적 담론을 통해 윤리적 원칙을 세우려 하였고, ㉣ 주요 정책의 결정 과정에 전문가만 참여하는 것에 찬성하였다. 한편 갑, 을은 모두 ㉤ 보편적인 도덕규범에 따른 행위를 도덕적 행위로 보았다.

① ㉠   ② ㉡   ③ ㉢   ④ ㉣   ⑤ ㉤

[21913-0083] ○ △ ✕

3 (가)의 사상가 갑, 을, 병의 입장에서 서로에게 제기할 수 있는 비판을 (나) 그림으로 표현할 때, A~F에 해당하는 적절한 내용만을 〈보기〉에서 있는 대로 고른 것은? [3점]

(가)	갑: 식물은 동물을 위해 존재하며, 동물은 인간을 위해 존재한다. 만약에 자연이 어떤 목적을 지닌 것이라면, 그것은 확실히 인간을 위해 존재한다는 것이다. 을: 의식이 있든 없든 생명이 있는 모든 존재는 자기 보존과 선(善)을 향해 움직인다는 점에서 동등하다. 모든 생명은 목적론적 삶의 중심을 이룬다. 병: 대지 윤리는 단순히 도덕 공동체의 범위를 토양, 물, 식물과 동물을 모두 포괄하여 땅을 포함하도록 확장하는 윤리이다. 대지는 생명 공동체이다.

(나)

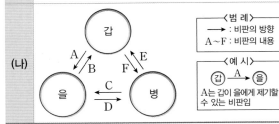

〈범례〉
⟶ : 비판의 방향
A~F : 비판의 내용

〈예시〉
갑 ─A→ 을
A는 갑이 을에게 제기할 수 있는 비판임

〈 보기 〉
ㄱ. A, F: 자연의 동식물이 내재적 가치를 지닌 존재라는 점을 간과하고 있다.
ㄴ. B, D: 생명 공동체의 구성원들에 대한 도덕 행위자의 책임을 간과하고 있다.
ㄷ. B, E: 인간의 이성이 도덕적 고려를 위한 기준이 될 수 없음을 간과하고 있다.
ㄹ. C, E: 생명 공동체인 대지가 그 자체로서 도덕적 고려의 대상임을 간과하고 있다.

① ㄱ, ㄴ   ② ㄱ, ㄷ   ③ ㄷ, ㄹ
④ ㄱ, ㄴ, ㄹ   ⑤ ㄴ, ㄷ, ㄹ

4 그림은 어떤 사상가가 쓴 책의 일부 내용이다. 이 사상가가 부정의 대답을 할 질문으로 가장 적절한 것은? [3점]

> 호혜성에 기초하고 있는 전통적인 이념에 따르면 나의 의무는 다른 사람의 권리이며, 또 다른 사람의 권리는 나의 권리와 동일한 것으로 파악된다. 하지만 이러한 이념은 우리의 목적에 대해 아무런 쓸모가 없다. 왜냐하면 이는 권리를 주장하는 사람만이 권리를 요청할 수 있다고 보기 때문이다. 이 때문에 앞으로 존재할 것이라는 가능성을 근거로 권리를 말하지 않고, 생명의 내재적 가치와 성격에 대해서도 말하지 않는다. 내가 주장하려는 윤리는 이 모든 것들과 관련되어 있다. 이 '책임 윤리'는 권리와 호혜성의 모든 이념과는 상관이 없다. 따라서 "미래 세대 또는 생명체는 나의 권리를 존중하는가?"와 같은 물음은 더 이상 아무런 문제가 되지 않는다.

① 책임 윤리는 목적 그 자체인 생명에 대한 외경심을 강조하는가?
② 책임 윤리는 인간의 인간에 대한 책임을 책임의 원형으로 보는가?
③ 책임 윤리는 책임 이념의 근거를 호혜성이 아닌 비호혜성에 두는가?
④ 책임 윤리는 권리를 주장할 자격을 지닌 현세대만이 권리를 요구할 수 있다고 보는가?
⑤ 책임 윤리는 인간의 행위가 가져올 결과가 미래 인류의 존속과 양립할 것을 요구하는가?

5 갑, 을의 입장에 대한 설명으로 옳은 것은?

> 갑: 인간 배아는 생성되는 그 순간부터 성인과 도덕적으로 동등한 존재라고 보아야 한다. 인간은 존엄한 존재이므로 실험 대상으로 취급되면 안 된다.
> 을: 인간 배아를 출생 이후의 인간과 동일한 생명체로 볼 수는 없다. 배아는 단순한 세포 덩어리에 불과하므로 그것을 만든 사람의 의도에 따라 처분할 수 있는 대상이다.

① 갑은 배아 실험을 제한적으로만 허용할 수 있다고 본다.
② 갑은 배아가 실험 과정에서 파괴되어도 윤리적 문제가 되지 않는다고 본다.
③ 을은 배아도 일정한 기간이 지나면 인간으로 성장하는 존재이므로 생명권이 있다고 본다.
④ 갑에 비해 을은 배아가 지닌 수단으로서의 가치를 강조한다.
⑤ 갑, 을은 인간 배아는 생성 순간부터 온전한 인간으로서의 도덕적 지위를 지닌다고 본다.

6 갑, 을의 입장에 대한 옳은 설명만을 〈보기〉에서 있는 대로 고른 것은?

> 갑: 프로테스탄트의 금욕은 향락과 낭비를 막는다. 이러한 금욕으로 인해 재화의 획득이 구원의 증표로 정당화되었다. 금욕을 바탕으로 한 영리 활동이 근대 기업가의 소명이라면, 노동은 근대 노동자의 소명이다.
> 을: 임금은 임금답고 신하는 신하다워야 한다. 임금이 나라를 다스릴 때에는 백성의 신뢰를 얻어야 하며, 씀씀이를 줄이고 백성을 사랑해야 한다. 신하는 먼저 맡은 직분을 경건히 수행하고 녹봉은 그 다음에 생각해야 한다.

〈 보기 〉
ㄱ. 갑은 청교도들의 금욕적 삶이 자본주의의 발전에 기여했다고 본다.
ㄴ. 갑은 소명 의식에 근거한 노동 행위는 종교적 의미를 갖지 못한다고 본다.
ㄷ. 을은 각자의 직분에 충실할 때 사회 질서가 원활하게 유지된다고 본다.
ㄹ. 을은 사회 활동을 수행함에 있어 절제하는 생활 태도가 필요하다고 본다.

① ㄱ, ㄴ   ② ㄱ, ㄷ   ③ ㄴ, ㄹ
④ ㄱ, ㄷ, ㄹ   ⑤ ㄴ, ㄷ, ㄹ

7 갑의 입장에 비해 을의 입장이 갖는 상대적 특징을 그림의 ㉠~㉢ 중에서 고른 것은? [3점]

> 갑: 개인들의 자연적 자산들이 도덕적 관점에서 볼 때 자의적이건 아니건 간에 개인들은 그것들에 대한 소유 권리를 지니며, 이로부터 발생하는 것에 대해서도 소유 권리를 갖는다. 개인들이 무엇에 대한 소유 권리를 갖는 경우 그들은 이를 가져야만 한다.
> 을: 공정으로서의 정의에 있어서 평등한 원초적 입장에 놓인 사람들은 무지의 베일로 인해 정의의 원칙들을 선택함에 있어서 아무도 타고난 우연의 결과나 사회의 우연성으로 인해 유리하거나 불리해지지 않는다는 점이 보장된다.

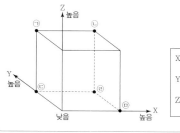

X: 사회적 약자에 대한 배려를 강조하는 정도
Y: 실질적 기회균등의 실현을 추구하는 정도
Z: 개인 삶에 대한 국가 개입의 최소화를 지향하는 정도

① ㉠   ② ㉡   ③ ㉢   ④ ㉣   ⑤ ㉤

[21913-0088] ○ △ ×

8 그림의 강연자가 지지할 입장만을 〈보기〉에서 있는 대로 고른 것은?

시민 불복종의 문제는 거의 정의로운 국가 내에서 그 체제의 합법성을 인정하고 받아들이는 시민들에 의해 생겨납니다. 시민 불복종의 근거는 개인이나 집단의 이익에만 기초해서는 안 되며, 정치적인 질서의 바탕에 깔려 있는 공유된 정의관에 의거해야 합니다. 시민 불복종은 그것이 비록 법의 바깥 경계선에 있는 것이기는 하지만 법에 대한 충실성의 한계 내에서 법에 대한 불복종을 나타내는 것이어야 합니다.

〈 보기 〉
ㄱ. 시민 불복종으로 인한 법적인 처벌을 수용해야 한다.
ㄴ. 시민 불복종은 공공적인 정의관에 근거를 두고 행해져야 한다.
ㄷ. 독재 체제를 무너뜨리기 위한 저항 행위도 시민 불복종에 해당한다.
ㄹ. 종교적 차원의 양심적 병역 거부는 시민 불복종의 범주에 포함된다.

① ㄱ, ㄴ　　② ㄱ, ㄹ　　③ ㄷ, ㄹ
④ ㄱ, ㄴ, ㄷ　　⑤ ㄴ, ㄷ, ㄹ

[21913-0089] ○ △ ×

9 다음 서양 사상가의 입장으로 적절하지 <u>않은</u> 것은?

• 국가는 자연의 피조물이며, 또한 인간은 본성적으로 사회적인 동물임이 명백하다.
• 모든 공동체들 가운데 가장 상위의 것이며 또한 나머지 공동체들을 모두 포함하는 국가 또는 정치적 공동체는 다른 공동체보다 더 나은 선 또는 최상위의 선을 목표로 할 것이다.
• 정치학 분야에서 선은 정의이며, 정의는 공익, 즉 시민의 행복 증진에 있다.

① 국가는 자연 발생적인 최상위의 공동체이다.
② 국가 속에서 개인선과 공동선은 양립할 수 없다.
③ 국가는 가정이나 마을보다 고귀한 선을 추구한다.
④ 국가는 필연적으로 개인과 다른 공동체보다 우선한다.
⑤ 국가가 선을 추구한다는 것은 시민의 선을 추구한다는 것이다.

[21913-0090] ○ △ ×

10 갑, 을의 사상적 관점에서 갑은 부정, 을은 긍정의 대답을 할 질문으로 가장 적절한 것은? [3점]

갑: 사회 정의 실현을 위해서는 개인의 이성과 양심의 힘만이 중요하다. 이것은 사회의 조화와 균형을 위해 각 개인의 욕망에 대해 강력한 내적 강제력을 행사하며, 그렇게 되면 이것의 힘에 의해 사회의 합리성도 증대된다. 최종적으로 불의를 무비판적으로 받아들이는 일도 없게 되어 권력층도 자신들의 특권을 더 이상 옹호할 수 없게 될 것이다.
을: 사회 정의 실현에 이성의 계발이 어느 정도 기여한다는 점은 맞다. 하지만 곧바로 이성의 한계로 말미암아 순수한 도덕적 행위, 특히 복잡하고 집단적인 관계들 속에서의 이성적 행위는 실현 불가능한 목표가 되고 만다. 집단들은 이성을 공동의 비합리적 충동 아래에 놓이게 하기 때문에 이를 견제할 제도적 장치가 필요하다.

① 사회 정의는 구성원에 대한 이성과 선의지의 계발만으로도 실현되는가?
② 사회 정의는 사회악을 견제하는 종교적 신념과 양심을 통해서만 실현되는가?
③ 사회 정의 실현을 위해서는 힘의 견제와 균형을 강조하는 제도만이 중요한가?
④ 사회 정의 실현을 위해서는 도덕적 통제를 받는 정치적·물리적 강제력이 중요한가?
⑤ 사회 정의는 집단의 도덕성을 결정하는 개인의 도덕성 고양을 통해서 실현되는가?

10회 미니모의고사

제한 시간 15분 / 배점 25점

EBS 수능특강 Q 미니모의고사 **생활과 윤리**

O 알고 맞힘   /10   △ 헷갈림   /10   ✕ 모르고 틀림   /10

[21913-0091] O △ ✕

1 갑의 입장에서 〈문제 상황〉 속 A에게 제시할 조언으로 가장 적절한 것은?

갑: 좋은[善] 삶이란 인간으로서 '잘 사는 삶'이며, 좋은 삶을 위해서는 '성품의 덕(德)'을 갖추어야 한다. 이 덕은 자신의 일생 동안 한결같은 의지적 노력을 통해 이루어진다.

〈문제 상황〉

고등학생 A는 SNS에서 다른 사람들의 관심을 끌기 위해, 그리고 자신을 돋보이게 함으로써 스스로 만족감을 느끼기 위해 자극적인 언어나 폭력적인 언어를 즐겨 사용하는 것으로 친구들 사이에서 유명하다. 뿐만 아니라 A는 SNS에서 작고 사소한 일도 과장하여 친구들을 선동하는 등 마치 자신이 친구들 사이에서 영웅인 것처럼 행동한다.

① 이성이 아닌 자연적 배려의 감정에 따라 행동해야 한다는 것을 명심해야 합니다.

② 절제 있는 행위의 습관화가 절제 있는 사람이 되게 해 준다는 것을 명심해야 합니다.

③ 행위가 가져오게 될 만족과 효용을 산정하여 행동해야 한다는 것을 명심해야 합니다.

④ 이상적인 담론 상황이 보편화가 가능한 규범을 형성할 수 있게 한다는 점을 명심해야 합니다.

⑤ 자신의 행위 준칙이 언제나 동시에 도덕 법칙과 일치하도록 행위 해야 함을 명심해야 합니다.

[21913-0092] O △ ✕

2 다음 동양 사상의 입장으로 가장 적절한 것은?

• 부모를 섬기되 겉으로 드러나지 않게 간(諫)해야 하니, 부모가 자식의 말을 따르지 않을지라도 더욱 공경하고 어기지 않으며 원망하지 말아야 한다.

• 아버지에게 간하는 자식이 있다면 아버지가 불의에 빠지지 않을 것이다. 그러므로 아버지가 의롭지 않은 일에 당면하면 자식으로서 간하지 않으면 안 된다.

① 어떤 경우에도 부모의 뜻을 받들어 실천해야 한다.

② 옳음의 실천을 부모에 대한 사랑보다 우선해야 한다.

③ 물질적 봉양만이 효를 실천하는 올바른 길임을 알아야 한다.

④ 자식은 때와 장소에 맞는 말과 행동으로 정성을 다해야 한다.

⑤ 부모가 불의한 일에 빠졌을 때 고칠 때까지 잘못한 바를 널리 알려야 한다.

[21913-0093] O △ ✕

3 갑, 을 사상가들의 입장에 대한 설명으로 옳지 <u>않은</u> 것은?

[3점]

갑: 죽음은 두려운 일이 아니다. 죽음은 감각이 상실된 것이므로 우리에게 아무것도 아니다. 왜냐하면 산 사람에게는 아직 죽음이 오지 않았고, 죽은 사람은 이미 존재하지 않기 때문이다.

을: 인간은 죽음에 앞질러 가 보기로 결단함으로써 자기 자신의 고유한 존재가 된다. 아직 오지 않은 죽음으로 미리 가 보는 것은 본래적 실존을 회복하는 전제가 된다.

① 갑은 죽음이란 감각의 소멸이기에 경험할 수 없다고 본다.

② 갑은 영혼이 육체의 제약을 벗어날 때 삶과 죽음의 진리를 통찰할 수 있다고 본다.

③ 을은 인간이 죽음에 대한 자각을 통해 참된 실존을 찾을 수 있다고 본다.

④ 을은 인간이 자신의 유한성에 대한 자각을 통해 본래성을 회복할 수 있다고 본다.

⑤ 갑은 죽음에 대한 공포로부터 벗어남을, 을은 죽음과 대면함으로써 삶을 주체적으로 살 수 있음을 강조한다.

[21913-0094] ○ △ ✕

4 갑의 입장에서 〈문제 상황〉 속 A국의 행태에 대해 제시할 도덕 판단으로 가장 적절한 것은?

갑: 다문화 사회에서도 타자(他者)는 여전히 그들의 문화를 지켜 나갈 수 있어야 한다. 즉 원주민이든 이주민이든 한 사회 내에서 사회적 분위기와 억압을 이유로 자신의 문화를 포기하지 않아도 되며, 여러 문화가 동등하게 인정되는 속에서 조화를 이루어야 한다.

〈문제 상황〉
A국은 이민자의 유입을 받아들이는 정책을 시행하고 있다. 또한 A국은 이민자들을 자국의 문화에 보다 빠르게 동화시키기 위해 이민자들이 A국의 역사와 전통을 반드시 배우도록 제도적으로 정하고 있다.

① 이주민이 원주민의 전통을 무조건적으로 따르지 않았으므로 옳지 않다.
② 서구 문화를 중심으로 하는 공동체의 질서를 확립하지 못했으므로 옳지 않다.
③ 다양한 문화의 고유성을 존중하지 않고 다른 문화를 차별하였으므로 옳지 않다.
④ 주류와 비주류를 동등하게 용해시켜 단일한 문화를 만들지 못했으므로 옳지 않다.
⑤ 원주민이 이민자의 문화를 흡수하지 못해 사회 갈등을 야기하였으므로 옳지 않다.

[21913-0095] ○ △ ✕

5 그림의 강연자가 부정의 대답을 할 질문으로 가장 적절한 것은?

기업의 임직원들이 주주들을 위해 되도록 많은 이윤을 남기는 것 말고 다른 사회적 책임을 받아들이는 현상보다 자유 사회의 근간을 근본적으로 허무는 것은 드뭅니다. 만일 기업인들이 주주들을 위해 최대 이익을 실현하는 것 말고 다른 사회적 책임을 져야 한다면, 그것이 무엇인지 그들이 어떻게 알 수 있겠습니까? 만약 기업인들이 주주의 피고용인이 아니라 공무원이 되어 버린다면, 민주주의 사회에서 그들은 조만간 선거나 지명이라는 공적인 방법을 통하여 선택될 것입니다.

① 기업은 주주들의 이익을 증진하기 위해 노력해야 하는가?
② 기업은 영리를 초월하여 공동선을 추구할 책임이 있는가?
③ 기업은 사회적 약자에 대한 경제적 지원의 책임에서 자유로워야 하는가?
④ 기업의 사회적 책임은 기업 이익의 극대화를 위한 활동에 매진하는 것인가?
⑤ 기업인에게 기부를 요구하는 것은 주주들이 자신의 돈을 어떻게 쓸지 결정하는 것을 방해하는 행위인가?

[21913-0096] ○ △ ✕

6 (가)의 갑, 을, 병 사상가들의 입장을 (나) 그림으로 표현할 때, A~D에 해당하는 적절한 진술만을 〈보기〉에서 있는 대로 고른 것은? [3점]

(가)
갑: 원초적 입장에서 개인은 기본적인 권리와 의무의 할당에 있어 평등을 요구하며, 사회·경제적 불평등은 허용하지만 그것이 최소 수혜자의 불평등을 보상할 만한 이득을 가져오는 경우로 제한된다.
을: 유용성이란 어떤 대상이 이해관계 당사자에게 이익, 쾌락, 좋음, 행복을 산출하거나 해악, 고통, 악, 불행을 막는 경향을 지닌 속성을 말한다. 그것이 공동체 전체라면, 공동체 전체의 행복을 말한다.
병: 누가 소유물을 받아야 하는가에 초점을 맞추는 이론은 주는 행위를 완전히 무시하게 된다. 즉 받는 사람 중심의 이론은 한 사람이 소유할 수 있고, 누군가에게 무엇을 줄 권리를 완전히 무시해 버린다.

(나)
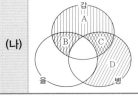

〈범례〉
A: 갑만의 입장
B: 갑과 을만의 공통 입장
C: 갑과 병만의 공통 입장
D: 병만의 입장

〈 보기 〉
ㄱ. A: 사회·경제적 불평등은 최소 수혜자의 처지를 개선하는 경우에 한해 정당화된다.
ㄴ. B: 질서 정연한 사회에서 당사자들은 서로에 대해 무관심한 합리적 개인이다.
ㄷ. C: 천부적 재능의 우연한 분포를 사회적 자산으로 간주해서는 안 된다.
ㄹ. D: 국가의 역할은 계약의 집행 및 강압, 절도, 사기로부터의 보호로 한정된다.

① ㄱ, ㄴ   ② ㄱ, ㄹ   ③ ㄴ, ㄷ
④ ㄱ, ㄷ, ㄹ   ⑤ ㄴ, ㄷ, ㄹ

[21913-0097] ○ △ ✕

7 다음 글이 강조하는 입장으로 가장 적절한 것은?

기둥 밑에 괴는 돌인 주추를 놓을 때는 오행에 맞게 배열하고, 기둥을 세울 때는 인의예지(仁義禮智)에 맞게 세우며, 고루(높은 곳에 자리 잡은 보루)는 팔조목에 맞게 얹고, 들보는 삼강령(三綱領)에 맞게 얹는다. 이처럼 주거 공간인 집은 단지 겉으로 그럴듯하게 짓거나 쌓을 때 바람직한 것이 아니라 그곳에 깃든 내적 이치와 원리를 충족할 때 올바른 것이 된다.

① 집은 경제적 효용 가치와 신성성이 깃든 복합 공간이다.
② 집은 인간의 자연에 대한 기술적 힘을 시험하는 공간이다.
③ 집은 인간이 지켜야 할 도덕적 가치를 구현하는 공간이다.
④ 집은 자연의 원리보다 거주자의 욕망을 구현하는 공간이다.
⑤ 집은 삶의 편리와 실용성을 중시하는 기능 중심의 공간이다.

8 (가)의 갑에 비해 을의 입장이 갖는 상대적 특징을 (나) 그림의 ㉠~㉤ 중에서 고른 것은? [3점]

(가)	갑: 바보처럼 보이지만 거만함이나 허풍, 변덕 때문에 하는 사치스러운 소비야말로 가난한 사람들에게 일자리를 제공하는 유익한 것임을 알아야 한다. 즉 시장을 움직이는 가장 중요한 요소이자 인간 행동의 가장 강력한 동기가 소비 욕구임을 알아야 한다. 을: 물질의 소유 또는 소비만을 행복으로 생각하는 잘못된 소비 성향으로부터 벗어나 인권이나 환경을 고려하는 소비, 즉 도덕적 가치 또는 사회적 책임성에 기초한 소비 태도로 전환해야 한다.

(나)

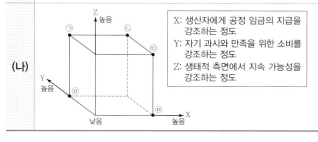

X: 생산자에게 공정 임금의 지급을 강조하는 정도
Y: 자기 과시와 만족을 위한 소비를 강조하는 정도
Z: 생태적 측면에서 지속 가능성을 강조하는 정도

① ㉠   ② ㉡   ③ ㉢   ④ ㉣   ⑤ ㉤

9 ㉠에 들어갈 적절한 진술만을 〈보기〉에서 있는 대로 고른 것은? [3점]

사회 집단은 개인보다 비도덕적이다. 그 이유는 개인들의 이기심이 하나의 공통된 충동으로 나타날 때 이를 억제할 강력한 사회적 힘을 만드는 것이 어렵기 때문이다. 그러므로 정치적 강제력을 바탕으로 힘의 균형을 이루도록 해야 집단 이기주의로 인한 부정의를 극복할 수 있다. 그런데 어떤 사람들은 합리성의 발전이나 종교적 선의지의 함양만으로 집단 이기주의로 인한 부정의를 극복할 수 있고 집단 간 조화가 실현될 수 있다고 주장한다. 나는 이런 사람들의 주장이 ㉠ 고 생각한다.

〈 보기 〉

ㄱ. 집단 간 대화를 통해서만 집단 간의 사회적 조화에 이를 수 있음을 간과하고 있다
ㄴ. 인간 사회의 정의를 실현하기 위해서는 정치적 강제력이 꼭 필요함을 간과하고 있다
ㄷ. 집단 이기주의로 인한 사회 문제는 합리적 사고를 통해 해결할 수 있음을 간과하고 있다
ㄹ. 부정의로 이익을 얻는 집단에 대항하는 힘이 형성되어야 정의 실현이 가능함을 간과하고 있다

① ㄱ, ㄴ   ② ㄱ, ㄷ   ③ ㄴ, ㄹ
④ ㄱ, ㄷ, ㄹ   ⑤ ㄴ, ㄷ, ㄹ

10 갑, 을의 입장에서 볼 때, 질문에 모두 옳게 대답한 것은? [3점]

갑: 사형 제도는 범죄 억제책으로서 큰 효과가 없다. 인간의 의식에 크게 영향을 미치는 것은 형벌의 강도가 아니라 지속성이기 때문이다. 더 나아가 사형은 사람들에게 야만성의 실례를 보여 주는 까닭에 유해하다. 그리고 인간이 사회 계약을 맺을 때 생명에 대한 권리를 주권자에게 위탁한 것은 아니다.

을: 사법적 형벌은 결코 어떤 다른 선을 촉진하기 위한 한낱 수단으로서 가해질 수는 없고, 오히려 그가 범죄를 저질렀기 때문에 그에게 가해지지 않으면 안 된다. 왜냐하면 인간은 결코 타인의 의도들을 위한 수단으로 취급될 수 없기 때문이다. 그리고 형벌에 있어 공적인 정의가 의존하는 원리는 동등성의 원리이다.

	질문	대답	
		갑	을
①	형벌은 인간의 존엄성을 침해하므로 악인가?	예	예
②	보복법만이 형벌의 질과 양을 명확하게 제시할 수 있는가?	예	아니요
③	형벌은 사회적 유용성을 증진하기 위한 수단이 되어야 하는가?	예	아니요
④	범죄자는 형벌을 의욕한 것이므로 처벌되어야 하는가?	아니요	예
⑤	국가가 갖는 형벌권의 내용에 사형이 포함되어야 하는가?	아니요	아니요

11회 미니모의고사

제한 시간 15분 / 배점 25점

EBS 수능특강 Q 미니모의고사 **생활과 윤리**

○ 알고 맞힘 /10   △ 헷갈림 /10   ✕ 모르고 틀림 /10

[21913-0101] ○ △ ✕

1 갑, 을의 입장에 대한 설명으로 가장 적절한 것은?

갑: 윤리학은 "선악을 구분하는 도덕 원리가 무엇인가?"라는 물음에 답해야 한다. 따라서 어떤 원리가 윤리적 행위를 위한 근본 원리로 성립할 수 있는지를 연구하는 윤리학적 연구가 필요하다.
을: 윤리학은 "도덕 판단, 가치 판단 등이 어떠한 근거로 정당화될 수 있는가?"라는 물음에 답해야 한다. 따라서 '선하다', '악하다' 등과 같은 윤리학적 용어의 의미를 명확하게 하려는 윤리학적 연구가 필요하다.

① 갑은 도덕규범과 관련된 문화적 사실들의 기술을 중시한다.
② 갑은 도덕 추론의 논리적 타당성 규명을 윤리학의 핵심 과제로 본다.
③ 을은 도덕 개념의 명료화와 명제 및 신념들의 분석과 검증을 중시한다.
④ 을은 도덕적 갈등 상황을 해결하기 위한 도덕 법칙의 정립을 중시한다.
⑤ 갑, 을은 도덕 행위에 대한 이론적 분석을 통한 윤리 문제 해결을 중시한다.

[21913-0102] ○ △ ✕

2 (가)의 갑, 을, 병 사상가들의 입장을 (나) 그림으로 표현할 때, A~D에 해당하는 적절한 진술만을 〈보기〉에서 있는 대로 고른 것은? [3점]

(가)
갑: 원초적 입장에서 개인은 기본적인 권리와 의무의 할당에 있어 평등을 요구하며, 사회·경제적 불평등은 허용하지만 그것이 최소 수혜자의 불평등을 보상할 만한 이득을 가져오는 경우로 제한된다.
을: 유용성이란 어떤 대상이 이해관계 당사자에게 이익, 쾌락, 좋음, 행복을 산출하거나 해악, 고통, 악, 불행을 막는 경향을 지닌 속성을 말한다. 그것이 공동체 전체라면, 공동체 전체의 행복을 말한다.
병: 누가 소유물을 받아야 하는가에 초점을 맞추는 이론은 주는 행위를 완전히 무시하게 된다. 즉 받는 사람 중심의 이론은 한 사람이 소유할 수 있고, 누군가에게 무엇을 줄 권리를 완전히 무시해 버린다.

(나)
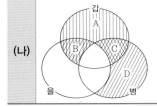
〈범례〉
A: 갑만의 입장
B: 갑과 을만의 공통 입장
C: 갑과 병만의 공통 입장
D: 병만의 입장

〈보기〉
ㄱ. A: 사회·경제적 불평등은 최소 수혜자의 처지를 개선하는 경우에 한해 정당화된다.
ㄴ. B: 질서 정연한 사회에서 당사자들은 서로에 대해 무관심한 합리적 개인이다.
ㄷ. C: 천부적 재능의 우연한 분포를 사회적 자산으로 간주해서는 안 된다.
ㄹ. D: 국가의 역할은 계약의 집행 및 강압, 절도, 사기로부터의 보호로 한정된다.

① ㄱ, ㄴ   ② ㄱ, ㄹ   ③ ㄴ, ㄷ
④ ㄱ, ㄷ, ㄹ   ⑤ ㄴ, ㄷ, ㄹ

 [21913-0103] ○ △ ✕

3 갑, 을 사상가들이 서로에 대해 제기할 수 있는 반론으로 적절한 것은?

> 갑: 오직 군자만이 악(樂)을 알 수 있으니 성(聲)을 살펴 음(音)을 알고, 음을 살펴 악을 알고 악을 살펴 정치를 알게 되면 치도(治道)를 갖추게 된다. 그러므로 성을 알지 못하는 자와 더불어 음을 말할 수 없고, 음을 알지 못하는 자와는 악을 말할 수 없으니, 악을 알면 예(禮)에 가깝게 된다.
>
> 을: 아름다운 사물은 오직 아름다움의 의미로 받아들여야 한다. 아름다운 것에서 추악한 의미를 발견하는 사람은 타락한 사람이며, 아름다운 것에서 아름다운 의미를 발견하는 사람은 교양 있는 사람이다.

① 갑이 을에게: 예술이 지닌 사회적 영향력을 지나치게 강조하고 있다.

② 갑이 을에게: 예술이 선의 구현을 목적으로 하는 것으로 착각하고 있다.

③ 을이 갑에게: 예술을 통해 사회에 순응하지 않고 저항해야 함을 간과하고 있다.

④ 을이 갑에게: 도덕적 교양이 있어야 미적 가치를 파악할 수 있음을 모르고 있다.

⑤ 을이 갑에게: 예술의 미적 가치가 예술을 평가하는 유일한 기준임을 모르고 있다.

4 (가)의 사상가 갑, 을의 입장을 (나) 그림으로 탐구할 때, A~C에 해당하는 적절한 질문만을 〈보기〉에서 있는 대로 고른 것은? [3점]

(가)	갑: 프로테스탄트적 금욕은 노동을 직업으로, 구원을 확신하기 위해 가장 좋은 수단으로 파악함으로써 심리적 동인을 만들어 냈다. 그리고 이 금욕은 다른 면에서 기업가의 화폐 취득도 '소명'이라고 해석했다. 을: 노동과 지식의 분리 과정은 개개의 노동자에 대해 자본가가 집단적 노동 유기체의 통일성과 의지를 대표하게 되는 단순 협업에서 시작된다. 그리고 이 분리 과정은 노동자를 부분 노동자로 전락시켜 불구자로 만드는 매뉴팩처에서 더욱 발전한다.
(나)	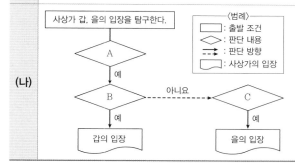

〈 보기 〉

ㄱ. A: 직업에서의 노동은 생계유지 수단 이상의 의미를 지니는가?

ㄴ. B: 자본주의에서의 분업화된 노동은 노동자의 자아실현을 불가능하게 하는가?

ㄷ. B: 자본 축적의 원천을 소명 정신에 근거한 직업 생활의 강조로 보아야 하는가?

ㄹ. C: 자본주의에서 노동자는 특수한 기능만을 담당하게 되므로 노동 소외를 겪게 되는가?

① ㄱ, ㄴ   ② ㄴ, ㄷ   ③ ㄷ, ㄹ
④ ㄱ, ㄴ, ㄹ   ⑤ ㄱ, ㄷ, ㄹ

5 다음 글은 신문 칼럼이다. 필자가 강조하는 내용으로 가장 적절한 것은?

> **칼럼**
>
> ○○ 신문　　　　　　　　　　　　　　　○○○○년 ○월 ○일
>
> '가짜 뉴스(fake news)'란 교묘하게 조작된 '속임수 뉴스'를 뜻한다. 즉 정치적·경제적 이익을 위해 의도적으로 언론 보도의 형식을 하고 유포된 거짓 정보를 말한다. 숙주 사이트에서 생산하고 ○○○ 등 사회 관계망 서비스를 통해 마치 언론 기사인 것처럼 포장되고 유통되는 것이 가짜 뉴스의 특성이다. 가짜 뉴스는 인터넷 발달을 매개로 SNS를 타고 다수에게 빠르게 전파될 뿐만 아니라 그 영향력도 매우 크고 광범위하다는 점에서 더욱 심각한 문제이다. 대표적인 가짜 뉴스들로는 "교황이 트럼프 후보를 지지한다.", "힐러리 클린턴이 테러 단체인 IS에 무기를 판매했다." 등이 있다. 문제는 이러한 가짜 뉴스들이 미국 대선 기간 동안 인터넷에서 871만 건이나 공유된 반면, 진짜 뉴스는 736만 건만 공유되었다는 점이다. …(중략)… 어느 때보다 사이버 공간의 질서를 바로잡을 '정보 리터러시' 또는 '사이버 리터러시(cyber literacy)'가 중요해지고 있다. 즉 정보에 대한 이해와 표현, 수용 및 전달 능력을 두루 갖춘 인터넷 사용자의 자율적 규제 역량이 중요한 때이다.

① 가짜 뉴스의 근절을 위해 자율 규제보다 법 제도를 먼저 정비해야 한다.
② 가짜 뉴스의 유통을 막는 기술적 서비스의 제공에 역량을 집중해야 한다.
③ 인터넷 매체를 통해 정치적·경제적 이익을 추구하지 못하도록 해야 한다.
④ 가짜 뉴스의 차단을 위해 정보의 자유로운 유통과 표현의 자유를 강화해야 한다.
⑤ 인터넷 매체에 의한 정보의 가치를 판단하고 평가할 줄 아는 능력을 갖춰야 한다.

6 다음 사상가의 주장만을 〈보기〉에서 있는 대로 고른 것은? [3점]

인간과 생명 공동체 사이의 갈등을 해결하기 위한 방안으로 먼저, '자기 방어 원리'를 생각해 볼 수 있다. 이것은 도덕 행위자가 자신을 파괴하려는 유해하고 위협적인 유기체들에 대항하여 그들 자신을 보호할 수 있도록 승인하는 원리이다. 그렇지만 이 원리는 오직 도덕 행위자가 그와 같은 유기체들에게 직접 노출됨으로써 자신들을 합리적으로 보살핀다는 것이 불가능한 경우만으로 제한되며, 또 환경 조건에 의해 심각한 피해가 발생하여 이 때문에 자신들을 지키는 것이 불가능한 경우만으로 제한된다. 따라서 이 원리는 도덕 행위자가 단순히 사적인 개인으로서 지닐 수 있는 이해관계, 또는 사적인 가치를 증진시킬 목적으로 행위함으로써 유기체의 파괴를 포함하게 되는 행위에 대해서는 적용되지 않는다.

〈 보기 〉
ㄱ. 도덕 행위자는 생명 공동체와의 깨진 균형을 회복할 의무를 지닌다.
ㄴ. 도덕 행위자는 개별 동물을 기만하거나 속이는 행동을 해서는 안 된다.
ㄷ. 도덕 행위자는 자신의 이해관계보다 생명체들의 선을 항상 우선해야 한다.
ㄹ. 도덕 행위자는 식물이 아닌 동물이 목적 지향적 삶의 중심체임을 알아야 한다.

① ㄱ, ㄴ　　　② ㄱ, ㄹ　　　③ ㄴ, ㄷ
④ ㄱ, ㄷ, ㄹ　　　⑤ ㄴ, ㄷ, ㄹ

[21913-0107] ○ △ ✕

7 (가) 사상의 관점에서 볼 때, (나)의 ㉠ 관계에서 지켜야 할 도리만을 〈보기〉에서 고른 것은?

(가)	• 사람으로서 인(仁)하지 못하면 예(禮)는 어떻게 사용하며, 사람으로서 인하지 못하면 악(樂)은 어떻게 사용할 수 있겠는가? • 예는 사치하기보다는 차라리 검소하여야 하고, 상(喪)은 형식적으로 잘 치르기보다는 차라리 슬퍼하여야 한다.
(나)	• ☐㉠☐ 간에는 간격이 있어서는 안 된다. 음식과 의복은 마땅히 함께하여야 한다. 한쪽은 굶주리고 다른 쪽은 배부르며 한쪽은 춥고 다른 쪽은 따뜻하다면 이는 한 몸의 두 팔과 두 다리[四肢]가 한쪽은 병들고 다른 쪽은 튼튼한 것과 같은 것이니, 몸과 마음이 어찌 편안할 수 있겠는가? • ☐㉠☐은/는 같은 어버이에게서 태어난 사이로 골육의 지친(至親)이다.

〈 보기 〉

ㄱ. 시비를 분별하지 말고 신의(信義)의 자세를 지닌다.
ㄴ. 서로의 잘못에 대해서는 권면(勸勉)하는 자세를 지닌다.
ㄷ. 가족의 출발점을 이루므로 서로 조화롭게 지내도록 한다.
ㄹ. 서로 사랑함으로써 이웃 관계의 도리를 실천하는 기초를 다진다.

① ㄱ, ㄴ ② ㄱ, ㄷ ③ ㄴ, ㄷ
④ ㄴ, ㄹ ⑤ ㄷ, ㄹ

[21913-0108] ○ △ ✕

8 갑, 을 사상가의 입장으로 가장 적절한 것은? [3점]

갑: 형벌은 결코 범죄자 자신이나 시민 사회를 위해 어떤 다른 선을 촉진하기 위한 한낱 수단으로서만 가해질 수 없고, 오히려 그가 범죄를 저질렀기 때문에 항상 그 때문에 그에게 가해지지 않으면 안 된다.
을: 형벌의 가치는 위법 행위에서 얻는 이득의 가치를 능가하기에 충분한 수준보다 더 작아서는 안 된다. 따라서 형벌이 확실성과 근접성이라는 두 가지 측면에서 부족한 면이 있는 만큼 처벌은 크기라는 면에서 가치를 부가시킬 수밖에 없다.

① 갑: 형벌은 범죄자의 인격 존중과 무관하게 집행되어야 한다.
② 갑: 형벌의 유용성이 없는 경우 형벌을 부과하지 말아야 한다.
③ 을: 형벌이 초래할 해악이 예방할 해악보다 커야 한다.
④ 을: 형벌의 질과 양은 오직 보복법만이 명확히 제시할 수 있다.
⑤ 갑, 을: 형벌의 정도는 범죄의 정도에 비례해서 범죄자에게 부과되어야 한다.

[21913-0109] ○ △ ✕

9 그림은 갑, 을 사상가의 대화이다. ㉠에 들어갈 적절한 진술만을 〈보기〉에서 있는 대로 고른 것은? [3점]

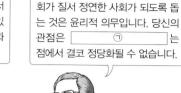

갑: 원조는 자율적 선택의 문제입니다. 개인은 사적 차원에서 자발적으로 도움을 줄 수 있지만, 국가가 원조를 위해 과세하는 것은 부당합니다.

을: 불리한 여건으로 고통받고 있는 사회가 질서 정연한 사회가 되도록 돕는 것은 윤리적 의무입니다. 당신의 관점은 ☐㉠☐는 점에서 결코 정당화될 수 없습니다.

갑   을

〈 보기 〉

ㄱ. 국가적 경계에 따라 원조의 대상을 차별하고 있다
ㄴ. 국제적 분배 정의의 문제에 차등의 원칙을 적용하지 않는다
ㄷ. 고통받는 사회의 정치 체제가 바뀌도록 도와야 함을 무시하고 있다
ㄹ. 원조는 자유가 보장되는 사회를 실현하기 위한 윤리적 의무임을 모르고 있다

① ㄱ, ㄴ ② ㄱ, ㄷ ③ ㄷ, ㄹ
④ ㄱ, ㄴ, ㄹ ⑤ ㄴ, ㄷ, ㄹ

[21913-0110] ○ △ ✕

10 다음을 주장한 사상가가 긍정의 대답을 할 질문으로 옳은 것은?

사회적 차원을 넘어서 있는 가장 순수한 이상과 같은 사회적 타당성은 사회적 관계가 복잡하고 간접적이 되어 감에 따라 점차 약화된다. 어떤 집단이 다른 집단에게 강력한 구원의 힘을 줄 만큼 일관되게 이기적이지 않은 태도를 유지하는 것은 있을 수 없는 일이다. 또한 서로 경쟁하고 있는 집단들이 상대방의 도덕적 역량을 높이 평가하여 자신의 현실적 이익을 포기할 것이라고는 생각조차 할 수 없다.

① 개인의 선의지가 사회 집단의 도덕성을 결정하는가?
② 개인이 도덕적이어도 사회적 갈등은 지속될 수 있는가?
③ 개인의 도덕적 이상과 사회의 도덕적 이상은 동일한가?
④ 개인의 도덕성은 개인이 소속된 집단의 크기에 비례하는가?
⑤ 개인보다 집단 관계에서 도덕성이 발휘될 가능성이 높은가?

12회 미니모의고사

제한 시간 15분 / 배점 25점

○ 알고 맞힘 /10 △ 헷갈림 /10 ✕ 모르고 틀림 /10

[21913-0111] ○ △ ✕

1 (가), (나) 윤리학의 입장만을 〈보기〉에서 고른 것은?

(가) 윤리학은 개인 또는 사회가 가진 도덕 판단을 정확히 기술해야 하는 것은 물론, 그 원인과 결과에 대해서도 정확히 탐구해야 한다. 왜냐하면 개인 또는 사회가 지닌 현실적인 도덕이란 자신의 삶에 대해 자신이 갖고 있는 경험의 일부이기 때문이다. 따라서 현실적인 도덕의 모든 사회적 양식은 역사적인 연구나 인류학적 현장 연구, 사회학적 분석을 통해 규명될 수 있다.

(나) 윤리학은 도덕적 의무에 관한 이론적 정당화를 통해 무엇이 도덕적으로 옳고 그른 것인지에 대해 대답하는 하나의 이론을 정립하는 일에 우선적인 관심을 두어야 한다. 왜냐하면 현실에 적용할 수 있는 실천적인 규범과 원칙은 이것이 보편타당한 것으로 정당화될 수 있는 정립된 이론적 체계에 그 토대를 두어야 하기 때문이다.

〈 보기 〉

ㄱ. (가): 윤리학의 주요 과제는 도덕적 논증의 의미론적이고 논리적인 구조를 분석하는 것이다.
ㄴ. (가): 윤리학의 주요 과제는 사람들이 지니고 있는 윤리 의식이나 가치관을 조사하는 것이다.
ㄷ. (나): 윤리학의 주요 과제는 도덕 원리나 규칙의 제시보다 구체적인 도덕 문제를 해결하는 것이다.
ㄹ. (나): 윤리학의 주요 과제는 성품이나 행위, 제도 등에 대해 윤리적 판단의 근거를 제공하는 것이다.

① ㄱ, ㄴ ② ㄱ, ㄷ ③ ㄴ, ㄷ
④ ㄴ, ㄹ ⑤ ㄷ, ㄹ

[21913-0112] ○ △ ✕

2 갑, 을 사상가들의 입장에서 볼 때, 질문에 모두 바르게 대답한 것은? [3점]

갑: 정의란 각자에게 각자의 몫을 돌려주려는 확고하고 영원한 의지와 관련된 것이며, 피조물들에게 각자의 몫을 나누어 주는 창조의 행위는 곧 자연적 정의가 무엇인지를 보여 준다. 창조된 자연적 질서는 "선은 추구하고 악은 피해야 한다."를 제1계명으로 삼는다.

을: 정의롭고 공정한 것이란 준칙에 따른 행위가 보편적 법칙에 따라 각자의 자유와 공존하는 경우를 말한다. 따라서 도덕 법칙은 하나의 완전한 존재자의 의지에게는 신성(神性)의 법칙이지만, 모든 유한한 이성적 존재자의 의지에게는 의무의 법칙이다.

	질문	대답	
		갑	을
①	행위의 도덕성을 도덕 법칙에 근거한 의무의 실천에 두는가?	예	예
②	행위의 도덕성을 가장 큰 유용성을 산출할 규칙의 준수에 두는가?	아니요	예
③	행위의 도덕성은 사회 공동체 전통의 실천과 관련해서 결정되는가?	예	아니요
④	행위 그 자체보다 행위가 가져올 결과가 도덕 판단의 기준이 되는가?	예	아니요
⑤	행위의 정당성은 신에 의한 자연 질서에 부합하는 것인지에 따라 결정되는가?	아니요	아니요

3 갑의 관점에서 〈사례〉 속 A의 행위에 대해 내릴 평가로 가장 적절한 것은?

> 갑: 인간은 이성적 존재, 즉 자신의 이성적 능력을 활용하여 자유롭게 목적을 정립하고 추구하는 존재로서 목적 그 자체이다. 또한 인간의 신체는 그 자아의 일부이며 자아와의 통합 속에서 인격을 이루고 있다. 따라서 신체를 사물처럼 타인에게 처분할 수 없다.
>
> 〈사례〉
>
> 대학생 A는 방학 중 광고 모델 아르바이트를 시작하였다. 광고의 내용이 자신의 성(性)적 이미지를 제품과 연결시키는 것이지만 돈을 많이 벌 수 있을 것 같아 광고를 찍었다.

① 경제적 합리성을 고려하지 않고 이윤을 추구했으므로 바람직하지 않은 행위이다.

② 자신의 신체를 수단이 아니라 목적 그 자체로 대우했으므로 비윤리적 행위이다.

③ 성 자체를 상품처럼 직접 사고판 것이 아니므로 도덕적으로 허용 가능한 행위이다.

④ 신체의 자의적 처분은 인간성을 포기하는 일이므로 도덕적으로 옳지 않은 행위이다.

⑤ 스스로 설정한 목적에 따라 성적 행동에 관한 결정권을 행사했으므로 옳은 행위이다.

4 (가) 사상에 비해 (나) 사상이 갖는 상대적 특징을 그림의 ㉠ ~ ㉤ 중에서 고른 것은? [3점]

> (가) 모든 피조물 중에서 우리가 의욕하고, 또 우리가 지배하는 모든 것은 단지 수단으로서 사용될 수 있다. 모든 이성적 피조물만이 목적 그 자체이다. 즉 이성적 존재만이 도덕 법칙의 주체이며, 도덕 법칙은 그의 자유가 지닌 자율로 말미암아 신성하다.
>
> (나) 만약 어떤 존재가 고통을 느낄 수 없거나 즐거움이나 행복을 누릴 수 없다면, 거기에서 고려해야 할 바는 아무것도 없다. 지능이나 합리성 등과 같은 다른 특징으로 경계를 나누는 것은 임의적이다. 오직 쾌고 감수 능력이 다른 존재들의 이익에 관심을 가질지의 여부를 판가름하는 유일한 경계가 된다.

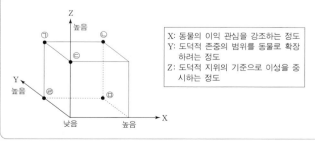

X: 동물의 이익 관심을 강조하는 정도
Y: 도덕적 존중의 범위를 동물로 확장하려는 정도
Z: 도덕적 지위의 기준으로 이성을 중시하는 정도

① ㉠   ② ㉡   ③ ㉢   ④ ㉣   ⑤ ㉤

5 을이 갑에 대해 제시할 비판으로 가장 적절한 것은?

> 갑: 지적 재산에 대한 권리를 존중하지 않으면 혁신적인 소프트웨어 상품들을 개발하도록 하는 유인(誘引)이 훨씬 적어질 것이다. 혁신적인 성과들의 독점권을 더 오랫동안 보호함으로써 막강한 유인들이 창출되고, 그러면 정보가 비약적으로 발전하게 될 것이다.
>
> 을: 모든 지식은 공동의 것이며 공적인 영역에 속한다. 그 공적인 영역에서 정보는 많은 다른 당사자들에게 이익을 줄 수 있다. 그러므로 지적 재산은 한 개인이나 조직체에 배타적으로 속해야 한다기보다는 공유된 자산으로서 간주되어야 한다.

① 정보가 지니고 있는 공공재의 성격을 지나치게 강조하고 있다.

② 정보는 함께 나눌수록 가치가 증가한다는 사실을 간과하고 있다.

③ 정보에 대한 접근권이 강화되어야 함을 지나치게 강조하고 있다.

④ 재산권의 존중이 정보 창작을 촉진시키는 방법임을 부정하고 있다.

⑤ 정보에 대한 권리를 인정하면 정보의 질적 향상이 가능함을 무시하고 있다.

6 다음을 주장한 사상가의 입장에서 부정의 대답을 할 질문으로 가장 적절한 것은? [3점]

> • 국가는 자연의 피조물이며, 인간은 사회적인 동물임이 명백하다. 본성적으로 국가가 없어도 생존할 수 있는 인간은 사악한 인간이거나 또는 인간을 넘어선다. 그러한 사람은 호메로스가 말하듯이 부족도 없고, 법도 없고, 가정도 없는 사람이다.
> • 모든 학문과 기술에서 목적으로 하는 것은 선이다. 모든 기술과 학문 가운데 가장 권위 있는 것, 즉 정치학에서 목적으로 하는 선이 가장 좋은 선이다. 정치학 분야에서 선은 정의이며, 정의는 공익을 증진하는 데 있다.

① 인간은 국가가 추구하는 선을 존중해야 하는가?
② 국가 공동체는 구성원의 복지 증진을 추구해야 하는가?
③ 국가 구성원 간의 사회적 유대는 정의 실현에 이바지하는가?
④ 국가는 사적인 소규모 공동체보다 더 고귀한 선을 추구하는가?
⑤ 부족과 같은 소규모의 사적 공동체는 선의 증진에 방해 요인인가?

7 갑, 을 사상가들의 입장으로 가장 적절한 것은?

> 갑: 국가의 권력, 또는 입법부의 권력은 모든 사람에게 재산을 보장해 줄 의무를 부담한다. 사람들은 사회에 들어갈 때 자연 상태에서 가졌던 집행권을 입법부가 처리할 수 있도록 양도하며, 입법권은 인민의 평화와 공공선이 아닌 다른 목적을 위해 행사되어서는 안 된다.
> 을: 국가의 권력은 계약 이행의 강제, 절도 행위의 금지 등으로 제한되어야 한다. 이러한 최소 국가는 도덕적으로 용인될 수 있는 방법에 의해 발생하며, 누구의 권리도 침해하지 않는다. 최소 국가는 정당화될 수 있는 것으로서는 최대로 포괄적인 국가로 남는다.

① 갑: 국가의 자의적 권력 행사에 대해 인민은 저항할 권리가 없다.
② 갑: 국가는 인민의 자유 보장에 반하는 절대 권력을 행사할 수 있다.
③ 을: 국가는 어떤 경우에도 소유물이 이전된 결과에 개입해서는 안 된다.
④ 을: 국가는 근로 소득에 세금을 부과해 경제적 불평등을 해소해야 한다.
⑤ 갑, 을: 국가는 개인의 소유권이 침해되지 않도록 보호해야 한다.

8 다음을 주장한 사상가의 입장만을 〈보기〉에서 있는 대로 고른 것은?

> 소외란 인간이 만든 노동 생산물이 생산의 주체인 인간과 분리되어 인간에게 낯선 존재, 대립적인 존재가 되고 나아가 이것들이 오히려 인간을 억압해 종속시키는 현상을 말한다. 그렇다면 자본주의 사회에서 이러한 소외가 발생하는 이유는 무엇인가? 노동자는 생산 수단을 갖고 있지 않기 때문에 생계유지를 위해 자본가에게 고용되어 임금을 받고 일을 해야 한다. 그 결과 노동자는 자신이 하고 싶은 일을 자유롭게 할 수 없으며, 자신이 생산한 물건도 마음대로 사용할 수 없다. 그래서 이 과정에서 노동자는 노동 소외를 겪게 된다. 노동이 자아를 실현하는 활동이 아니라, 생계를 위한 어쩔 수 없는 강제적인 활동이 되는 것이다.

〈 보기 〉
ㄱ. 노동자는 노동을 통해 경제적으로 안정된 삶을 유지할 수 있어야 한다.
ㄴ. 노동자는 사회 분업에 참여함으로써 인간 소외 현상을 극복할 수 있다.
ㄷ. 노동은 외부의 억압이나 강요가 없는 자발적 선택에 의한 것이어야 한다.
ㄹ. 노동을 통해 인간은 자아를 실현하면서 성취감과 보람을 느낄 수 있어야 한다.

① ㄱ, ㄴ   ② ㄱ, ㄹ   ③ ㄴ, ㄷ
④ ㄱ, ㄷ, ㄹ   ⑤ ㄴ, ㄷ, ㄹ

[21913-0119] ○ △ ✕

9 (가)의 갑, 을의 입장을 (나) 그림으로 탐구할 때, A~C에 해당하는 질문으로 옳은 것은? [3점]

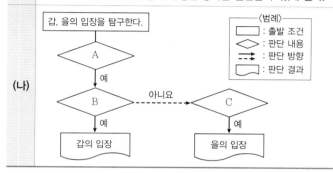

(가)	갑: 국제 사회는 본질적으로 무정부 상태이고, 국가 간 관계는 갈등 상황을 전제로 시작된다. 국가와 국제 관계는 본질적으로 자기 이익의 관점을 벗어날 수 없기 때문에 한 나라가 패권을 차지하는 것을 방지할 수 있는 유일한 방법은 힘의 균형이다. 을: 국제 사회에서 힘의 균형은 일시적일 뿐이다. 전쟁은 상호 간의 오해나 법과 제도의 불완전함에 기인하므로 대화와 타협을 통해 국제 규범의 불완전성을 제거하게 된다면 개별 국가들은 국제 규범의 준수를 통해 진정한 평화를 실현할 수 있게 된다.

(나)

범례
□ : 출발 조건
◇ : 판단 내용
→ : 판단 방향
▭ : 판단 결과

① A: 세계 평화를 영구히 유지할 수 있는가?
② B: 인간 본성은 선하므로 전쟁은 인간 본성에 기인하지 않는가?
③ B: 국가 간 이익이 충돌할 때 국제기구를 통한 해결이 가능한가?
④ C: 국제법과 국제 규범의 한계는 패권 경쟁을 통해 해결해야만 하는가?
⑤ C: 국가 간 전쟁은 인간성이 아닌 합리적 조정의 부재로부터 유래하는가?

[21913-0120] ○ △ ✕

10 갑, 을 사상가들의 입장에서 서로에 대해 비판할 수 있는 내용으로 옳은 것은? [3점]

갑: 인간의 본질은 자유와 능동성이므로 예술가는 예술 창작 활동을 통해 이를 구현해야 합니다. 그런데 자유는 주어진 것이 아니라 부자유로부터 부단히 획득되는 것이므로 예술가는 인간의 자유를 부정하는 사회적 억압이 있다면 이와 맞서 싸우는 일에 적극적으로 참여해야 합니다.

을: 예술은 드러내고 예술가를 숨기는 것이 예술의 목표입니다. 예술가에게 윤리적 공감은 불필요하며 아름다운 사물은 오직 아름다움의 의미로 받아들여야 합니다. 아름다운 것에서 추악한 의미를 발견하는 사람은 타락한 사람이며, 아름다운 것에서 아름다운 의미를 발견하는 사람은 교양 있는 사람입니다.

	~이	~에게	비판 내용
①	갑	을	예술이 다른 목적을 위한 수단이 되면 안 된다는 점을 모르고 있다.
②	갑	을	예술이 사회 모순을 비판하여 사회 발전에 기여해야 함을 간과하고 있다.
③	을	갑	예술 활동이 윤리적 가치의 안내를 받아야 함을 간과하고 있다.
④	을	갑	예술가는 사회인이며 예술 활동은 사회 활동의 일환임을 모르고 있다.
⑤	을	갑	예술가는 참된 아름다움의 구현을 위해 선을 추구해야 함을 모르고 있다.

13회 미니모의고사

제한 시간 15분 / 배점 25점

EBS 수능특강 Q 미니모의고사 **생활과 윤리**

○ 알고 맞힘 ___/10   △ 헷갈림 ___/10   ✗ 모르고 틀림 ___/10

[21913-0121] ○ △ ✗

1 갑, 을이 공통적으로 강조하는 공직자의 자세만을 〈보기〉에서 있는 대로 고른 것은?

갑: 목민관에 부임하여 행장을 꾸릴 때 의복과 안장을 얹은 말은 본래 있는 그대로 써야 하며, 새로 마련해서는 안 된다. 또한 친척들 중에 때를 타서 청탁을 하다가 인심을 몹시 잃어서, 수령이 떠난 뒤에는 마치 강물은 흘러가고 돌은 남는 격이 되어서 뭇사람의 노여움이 빗발치듯 하여 보존하지 못하는 사람이 많으니 어찌 두렵지 않겠는가.

을: 국가의 수호자는 어떠한 사유 재산도 가져서는 안 된다. 그리고 이들은 공동생활을 해야 한다. 이들에게는 자신의 영혼 안에 신성한 금이 있으므로 세상 사람들이 원하는 금은 필요하지 않다. 수호자는 세상의 금을 멀리해야 하며 이렇게 함으로써 이들은 자신도 구하고 나라도 구할 수 있다.

〈 보기 〉

ㄱ. 공익 실현을 위해 자신의 사욕을 절제해야 한다.
ㄴ. 공동선을 위해 모든 사유 재산을 사회에 환원해야 한다.
ㄷ. 현실의 세속적 욕망에서 벗어나 은둔자의 삶을 지향해야 한다.
ㄹ. 사적 친밀함이 공무 수행에 개입하지 않도록 엄격하게 경계해야 한다.

① ㄱ, ㄴ   ② ㄱ, ㄹ   ③ ㄴ, ㄷ
④ ㄱ, ㄷ, ㄹ   ⑤ ㄴ, ㄷ, ㄹ

[21913-0122] ○ △ ✗

2 (가)의 갑, 을, 병의 입장을 (나) 그림으로 탐구할 때, A~D에 해당하는 적절한 질문만을 〈보기〉에서 있는 대로 고른 것은? [3점]

(가)

갑: 감각과 목적의식을 지닌 삶의 주체는 존중받을 도덕적 권리를 갖는다. 도덕적 권리를 갖는 개체들은 다른 것들을 위한 자원으로 대우받아서는 안 된다.

을: 도덕적 고려의 대상이 되는 생명체는 고유의 선을 갖는 실재이다. 이러한 실재들은 모든 살아 있는 유기체를 가리킨다.

병: 대지 공동체의 구성원들은 생명 공동체의 구성원이다. 생명 공동체의 안정성이 그 온전함에 의존한다면, 그 구성원들에게는 존속할 자격이 있다.

(나)

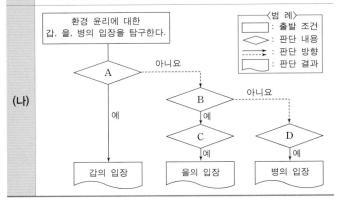

① ㄱ, ㄷ   ② ㄱ, ㄹ   ③ ㄴ, ㄹ
④ ㄱ, ㄴ, ㄷ   ⑤ ㄴ, ㄷ, ㄹ

〈 보기 〉

ㄱ. A: 도덕적 행위를 할 수 없는 존재도 도덕적 고려의 대상이 될 수 있는가?
ㄴ. B: 생태계 보전은 개별 생명체의 이익 보호를 위해서인가?
ㄷ. C: 생명체는 인간의 이익관심과 관계없이 내재적 가치를 갖는가?
ㄹ. D: 도덕 공동체의 범위에 무생물도 포함시켜야 하는가?

3 (가)의 입장에 비해 (나)의 입장이 갖는 상대적 특징을 그림의 ㉠ ~ ㉤ 중에서 고른 것은? [3점]

> (가) 모든 법령이 지니고 있거나 지녀야 하는 일반적 목적은 일반적으로 공동체 전체의 행복이다. 그렇기 때문에 가능한 한 우선적으로 그러한 행복을 감소시키는 경향이 있는 모든 것을, 달리 말하면 폐해를 없애고자 한다. 모든 형벌은 그 자체로서 악이다. 공리성의 원리에 의할 때, 만약 형벌이 인정될 수 있다면, 그것은 더욱 큰 어떤 악을 없애는 것을 보장하는 한에서만 인정되어야 한다.
>
> (나) 살인을 했거나 그것을 명했거나 또는 그것에 협력했던 살인자는 누구든 사형에 처해지지 않으면 안 된다. 이것이 사법권의 이념으로서의 정의가 선험적으로 정초된 보편적인 법칙들에 따라 의욕하는 바이다. 누구도 그가 형벌을 의욕했기 때문이 아니라, 형벌을 받아야 할 행위를 의욕했기 때문에 형벌을 받는 것이다.

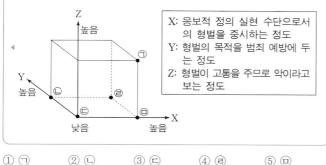

X: 응보적 정의 실현 수단으로서의 형벌을 중시하는 정도
Y: 형벌의 목적을 범죄 예방에 두는 정도
Z: 형벌이 고통을 주므로 악이라고 보는 정도

① ㉠　　② ㉡　　③ ㉢　　④ ㉣　　⑤ ㉤

4 다음을 주장한 사상가가 부정의 대답을 할 질문으로 가장 적절한 것은?

> • 오늘날 문화 소비자들의 자발성이나 상상력이 위축된 이유를 그 어떤 심리적 메커니즘에서 찾을 필요는 없다. 문화 상품의 속성은 관객으로 하여금 적극적으로 사유하는 것을 불가능하도록 만든다는 데 있다. 관객의 상상을 위한 공간은 남겨져 있지 않다.
> • 오늘날 예술가들은 주인들에게 복종해야 한다. 그들은 이렇게 말한다. "나처럼 생각하지 않는 것은 자유이지만 오늘 이후 너는 우리들 사이에서 이방인이 될 것이다."

① 문화 산업은 예술의 다양성 상실을 가져오는가?
② 문화 산업은 시민의 비판적 사유를 제한하는가?
③ 예술가는 시장의 원리에 따라 창작해야 옳은가?
④ 예술의 상업화는 예술가의 창의성을 파괴하는가?
⑤ 문화 산업은 자본의 예술에 대한 지배를 강화하는가?

5 갑은 부정, 을은 긍정의 대답을 할 질문으로 가장 적절한 것은? [3점]

> 갑: 국수 대접을 보면 국수와 국물이 주된 것이지만 고명이 그 위에 얹혀 있어서 맛을 더해 주고 있다. 한 나라의 문화도 이와 마찬가지로, 그 나라의 문화가 중심이 되어 다른 문화를 수용함으로써 발전할 수 있다.
> 을: 샐러드 그릇을 보면 다양한 야채와 과일이 고유한 특성을 유지하면서도 맛의 조화를 이루고 있다. 한 나라의 문화도 이처럼 다양한 문화가 고유성을 유지하면서도 조화를 이루어야 한다.

① 소수 문화가 중심 문화에 편입될 수 있도록 해야 하는가?
② 사회적 동질성을 높이는 제도적 방안을 마련해야 하는가?
③ 다양한 문화를 용해하여 새로운 문화를 창조해야 하는가?
④ 다양한 문화의 정체성을 대등하게 인정해 주어야 하는가?
⑤ 이주민들이 적응할 수 있도록 비주류를 존중해야 하는가?

6 다음을 주장한 사상가의 관점에만 모두 'V'를 표시한 학생은? [3점]

> • '비종교적' 인간의 대부분은 비록 의식하지는 못하더라도 여전히 종교적으로 행동하고 있다. …(중략)… 새해를 맞이할 때나 새 집에서 살게 될 때에 수반되는 축제는 비록 속화(俗化)되기는 했을망정 여전히 갱신의 의례 구조를 드러내고 있다.
> • 성(聖)은 특정한 대상에만 있는 것이 아니다. 성은 영속적 혹은 일시적 특성으로서 어떤 사물, 인간, 공간, 시간 등에 두루 퍼져 있다.
> • 성과 속은 영원불변하는 것이 아니며, 성이 속으로 속이 성으로 변할 수도 있다.

관점 \ 학생	갑	을	병	정	무
인간은 본질적으로 종교적 존재이다.	V			V	V
세속을 떠나 종교적 진리를 찾아나서야 한다.		V		V	V
종교는 왜곡된 현실을 정당화하는 도구에 불과하다.		V	V		
종교적 인간은 현실 세계 속에서 거룩함을 체험한다.	V		V		V

① 갑　　② 을　　③ 병　　④ 정　　⑤ 무

7 다음 사상가의 입장에 대한 설명으로 가장 적절한 것은?

> 자연은 인간이 만든 사회와 국가 간의 갈등이 불가피하게 지속
> 되는 대립 속에서 평화와 안정의 상태를 만들어 내도록 한다.
> 즉 자연은 사람들이 전쟁과 대립, 그리고 극단적 군비 확장을
> 통해 무수한 황폐함과 몰락을 거친 후에야 비로소 야만의 무법
> 상태에서 벗어나 국가들 간의 연맹을 맺어야 한다는 목표를 이
> 룰 수 있도록 인간을 몰고 가는 것이다. 이는 당장에는 그 실현
> 이 불가능해 보이지만 내적으로는 시민적 공동체의 조정에 의
> 해, 외적으로는 공동 협정과 입법을 통해 결국에는 현실화되어
> 확립될 수 있을 것이다.

① 개별 국가의 주권이 폐지되면 세계 평화가 달성된다고 본다.
② 국제 연맹은 강대국만의 이익을 대변하게 될 뿐이라고 본다.
③ 정치를 인간의 이성이 적용될 수 있는 도덕적 영역으로 본다.
④ 국제 평화를 위해서는 하나의 통일된 국가가 필요하다고 본다.
⑤ 영원히 전쟁이 없는 상태에 도달하는 것은 불가능하다고 본다.

8 (가)의 갑, 을, 병 사상가들의 입장을 (나) 그림으로 표현할 때, A~D에 해당하는 진술로 가장 적절한 것은? [3점]

(가)	갑: 삶에서 우리는 먼저 사람이 되고, 그 다음 국민이 되어야 한다. 법은 사람을 도덕적으로 만들지 못한다. 을: 시민 불복종은 공동 사회의 다수자가 갖는 정의감을 드러냄으로써 법이나 정부의 정책에 변혁을 가져올 목적으로 행해지는 정치적 행위이다. 병: '진리 확신(사탸그라하, Satyagraha)'이야말로 최고선이다. 이것을 실천하는 사람은 감옥에 가는 것을 정상적인 운명이라고 받아들여야 한다.
(나)	갑 A C D 을 병 〈범례〉 A: 갑만의 입장 B: 을만의 입장 C: 갑과 병만의 공통 입장 D: 갑, 을, 병의 공통 입장

① A: 시민 불복종은 다수에 의해 공유된 정의관에 기초한다.
② B: 시민 불복종은 평화적이며 비폭력적 방법을 사용해야 한다.
③ B: 시민 불복종은 종교적·평화적 교의에 근거한 저항 행위이다.
④ C: 시민 불복종에 의한 법적인 처벌은 기꺼이 감수해야 한다.
⑤ D: 시민 불복종은 정의와 양심을 표현하기 위한 법 위반 행위이다.

[21913-0129] ○ △ ✕

9 다음 사상가의 입장에서 지지할 주장으로 옳지 않은 것은?

> • 의사소통이 외적인 우연적 영향뿐만 아니라 강제를 통해서도
>   방해받지 않는 담화 상황, 즉 의사소통 자체의 구조로부터 생
>   겨나는 담화 상황을 '이상적'이라고 명명한다.
> • 실천적 담론의 참여자로서 관여된 모든 사람의 동의를 얻을
>   수 있는 규범만이 타당성을 주장할 수 있다. 즉 규범을 준수
>   할 때 발생할 결과와 부작용이 모든 이에게 수용될 수 있을
>   때 비로소 그 규범은 타당성을 얻게 되는 것이다.

① 타인의 주장에 비판을 제기하지 않으며 경청해야 한다.
② 대화 참여자들의 질문에 종교적 금기를 적용하면 안 된다.
③ 사회적 갈등은 의사소통의 합리성을 바탕으로 해결해야 한다.
④ 시민들은 이성적 논의를 통해 민주적 의사 결정을 해야 한다.
⑤ 올바른 의사소통을 통해 평등한 인간관계를 형성해야 한다.

[21913-0130]

10 다음을 주장하는 사람이 긍정의 대답을 할 질문으로 가장 적절한 것은?

> 인터넷 매체의 이용 증가로 공적 영역에서의 새로운 시민적 연
> 결망의 창출이 가능해졌다. 인터넷 동호회, 카페, 사회 연결망
> 사이트 등을 통한 새로운 인간관계 및 공동체 경험이 증가했으
> 며, 포털 뉴스와 인터넷 언론, 게시 글과 댓글 등 다양한 정보
> 원 및 의견에 대한 접근이 증가하였다. 온라인을 통하여 여론
> 형성 과정에 대한 참여와 온라인 고발, 온라인 여론 조사, 온라
> 인 탄원 등과 같은 새로운 정치 활동도 증가하였다. 이 모든 일
> 을 통해서 공동의 관심사를 매개로 개인과 개인이 연결되고,
> 개인과 집단이 연결되며, 집단과 집단이 연결되는 시민적 연결
> 망이 형성되는 등 인터넷이 바람직한 사회의 변화에 기여하고
> 있다.

① 인터넷은 시민들의 적극적인 사회적 참여를 위축시키는가?
② 인터넷의 발달은 참여 민주주의의 발전을 가능하게 하는가?
③ 인터넷에서의 비판적인 정보를 제거해야 여론이 형성되는가?
④ 인터넷에서 형성된 인간관계는 반드시 이기적인 모습으로 나타나는가?
⑤ 인터넷에서 정보 접근에 대한 규제는 민주주의에 긍정적 영향을 미치는가?

14회 미니모의고사

O 알고 맞힘 /10 △ 헷갈림 /10 X 모르고 틀림 /10

[21913-0131] ○ △ X

1 갑, 을에 대한 옳은 설명만을 〈보기〉에서 있는 대로 고른 것은?

> 갑: 의무는 법칙에 대한 존경으로부터 비롯된 행위의 필연성이다. 결코 결과가 아닌 나의 의지가 연결된 순수한 법칙 그 자체만이 존경의 대상이 될 수 있다.
> 을: 한 공동체의 구성원인 개인들의 행복, 즉 그들의 쾌락과 안전이야말로 입법자가 고려해야 할 목적, 그것도 유일한 목적이라는 사실이 드러났다. 즉 그것은 각 개인이 자기의 행위를 행하도록 할 때 따라야 할 유일한 기준인 것이다. 행해야 할 행위가 어떤 것이든 간에, 고통이나 쾌락을 제외하고는 궁극적으로 인간이 근거로 삼아 행위를 행하게 만들 수 있는 것은 아무것도 없다.

〈 보기 〉

ㄱ. 갑은 이성적인 인간이라면 보편적 도덕 법칙을 인식할 수 있다고 본다.
ㄴ. 을은 유용성의 원리를 도덕과 입법의 원리로 제시한다.
ㄷ. 갑은 을과 달리 경향성의 충족으로서의 행복을 도덕적 행위의 목적으로 간주한다.
ㄹ. 갑, 을은 사람들에게 보편적으로 적용 가능한 행위 원칙이 존재한다고 본다.

① ㄱ, ㄴ   ② ㄱ, ㄷ   ③ ㄷ, ㄹ
④ ㄱ, ㄴ, ㄹ   ⑤ ㄴ, ㄷ, ㄹ

[21913-0132] ○ △ X

2 (가)의 사상가 갑, 을, 병의 입장에서 서로에게 제기할 수 있는 비판을 (나) 그림으로 표현할 때, A~F에 해당하는 적절한 내용만을 〈보기〉에서 있는 대로 고른 것은? [3점]

(가)	갑: 사형은 계약 당사자의 생명 보존이라는 사회 계약을 위반한 국가의 적(敵)인 악인에게 가해지는 것이다. 을: 형벌의 목적은 범법자 또는 비범법자의 행동 통제이다. 형벌은 범법자의 의지를 통제하는 교정과 행위를 통제하는 무력화 역할을 해야 한다. 병: 사형은 동등성의 원리에 따른 것이며, 정당한 보복의 수단이지만 인간을 다른 목적을 위한 수단으로 취급하는 것은 아니다.
(나)	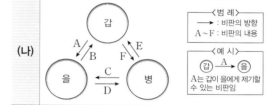

〈 보기 〉

ㄱ. C: 살인자에 대한 형벌의 양과 질이 보복법에 근거해야 함을 간과하고 있다.
ㄴ. D: 형벌 그 자체는 악이므로 더 큰 해악의 방지를 위해서만 허용됨을 간과하고 있다.
ㄷ. A, F: 형벌로 인한 해악 방지를 최소 비용으로 실현해야 함을 간과하고 있다.
ㄹ. B, E: 형벌을 통해 정치 공동체의 안전과 공동선을 증진해야 함을 간과하고 있다.

① ㄱ, ㄴ   ② ㄱ, ㄷ   ③ ㄷ, ㄹ
④ ㄱ, ㄴ, ㄹ   ⑤ ㄴ, ㄷ, ㄹ

3 갑, 을 사상가들의 입장에 대한 설명으로 옳은 것은?

> 갑: 천하에 도(道)가 있을 때에는 벼슬을 하고, 도가 없으면 숨어 지내야 한다. 나라에 도가 있을 때 가난하고 비천한 것은 부끄러운 일이며, 나라에 도가 없을 때 부귀(富貴)한 것은 부끄러운 일이다.
> 을: 신은 개개인이 자신의 천직(天職)을 존중하도록 명령하신다. 우리의 어리석음과 무모함에서 빚어지는 일반적 혼란을 방지하기 위해 신은 각 사람이 각각 상이한 삶의 분야에서 자신의 특정한 직무를 담당하도록 지정하셨다. 그리고 신은 그와 같은 삶의 분야를 소명(召命)으로 호칭하셨다.

① 갑은 가난한 사람이 부유한 사람보다 언제나 선하다고 주장한다.
② 을은 직업 노동을 통해 성공하는 것을 궁극적 목적으로 강조한다.
③ 갑은 을과 달리 직업 생활에서 금욕적인 태도의 실천을 강조한다.
④ 을은 갑과 달리 현세적 직업 노동에서 완전히 벗어날 것을 강조한다.
⑤ 갑, 을은 정당한 직업 노동을 통한 경제적인 이익 추구를 인정한다.

4 (가)의 사상가 갑, 을, 병의 입장을 (나) 그림으로 탐구할 때, A~D에 해당하는 적절한 질문만을 〈보기〉에서 있는 대로 고른 것은? [3점]

(가)	갑: 사법적 형벌은 오로지 그가 범죄를 저질렀기 때문에 그에게 가해지지 않으면 안 된다. 왜냐하면 인간은 결코 타인의 의도를 위한 한낱 수단으로서만 취급될 수 없기 때문이다. 따라서 살인자에 대한 정당한 처벌은 사형뿐이다. 을: 사형 제도는 더 나은 예방 효과를 가진 종신형으로 대체되어야 한다. 최고의 형벌인 사형이 사회에 대항하는 범죄를 행하는 것을 억제하지 못했다는 것은 모든 시대의 경험이다. 병: 사회 계약은 시민의 생명을 처분하는 것이 아니라 시민의 생명을 보존하는 것이다. 사회 계약을 할 때 시민은 국가에 생명 박탈의 권리를 양도하였으므로 국가는 타인을 살해한 시민을 사형에 처할 권리가 있다.
(나)	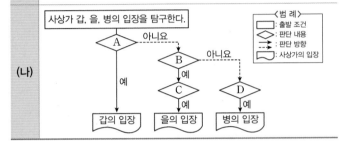

> 〈보기〉
> ㄱ. A: 범죄와 형벌 사이에는 비례의 원칙이 적용되어야 하는가?
> ㄴ. B: 범죄자에 대한 처벌권은 계약에 의해 국가에 위임되는가?
> ㄷ. C: 사형은 종신 노역형에 비해 형벌의 효율성이 떨어지는가?
> ㄹ. D: 살인자는 계약 위반자이므로 시민의 자격을 상실하는가?

① ㄱ, ㄴ   ② ㄱ, ㄹ   ③ ㄷ, ㄹ
④ ㄱ, ㄴ, ㄷ   ⑤ ㄴ, ㄷ, ㄹ

5 다음을 주장한 사상가의 입장만을 〈보기〉에서 있는 대로 고른 것은?

- 개인과는 달리 집단 속에서는 개인들의 이기적 충동들이 합쳐져 훨씬 더 강력한 형태인 집단적 이기심으로 나타나며, 집단 간의 관계는 각 집단이 소유하고 있는 힘의 비례에 의해 결정된다.
- 올바른 정치적 도덕성은 인간 사회에 있는 합리적, 도덕적 요소들에 가장 잘 부합될 수 있는 유형의 강제력을 사용하도록 권고함으로써 쓸데없는 갈등의 악순환에 빠져 있는 사회를 구원하고자 할 것이다.

〈 보기 〉
ㄱ. 사회 구조의 도덕성은 개인의 도덕성에 영향을 준다.
ㄴ. 사회 부정의 해결을 위한 정치력의 개입은 부적절하다.
ㄷ. 사회 부정의는 집단 간의 권력 불균형에 의해 발생된다.
ㄹ. 사회 정의는 선의지의 통제를 받는 수단을 통해 실현된다.

① ㄱ, ㄴ   ② ㄱ, ㄷ   ③ ㄴ, ㄹ
④ ㄱ, ㄷ, ㄹ   ⑤ ㄴ, ㄷ, ㄹ

6 다음 토론의 핵심 쟁점으로 가장 적절한 것은? [3점]

갑: 기업은 한 사회 내에 존재하면서 그 구성원들과 다양한 관계를 맺고 있으므로 사회적 책임을 이행해야 합니다.
을: 찬성합니다. 다만 여기에서 기업의 사회적 책임이란 직접적 이해관계자인 주주들의 최대 이익을 실현하는 것이라고 할 수 있습니다.
갑: 아닙니다. 기업의 사회적 책임은 곧 경제적 책임과 더불어 회사 내외에 존재하는 다양한 이해관계자에 대한 윤리적 책임을 갖는 데 있습니다.
을: 그렇지 않습니다. 기업은 기업을 소유한 주주들의 도구일 뿐입니다. 따라서 기업은 이윤 추구의 극대화를 위해 노력해야 합니다.

① 기업은 사회적 책임을 이행해야 하는가?
② 기업의 윤리 경영은 기업의 이익 추구에 도움이 되는가?
③ 기업의 사회적 책임의 대상은 주주에게로 한정되어야 하는가?
④ 기업의 이윤 추구는 법의 테두리 안에서 이루어져야만 하는가?
⑤ 사회는 기업에게 윤리적 책임의 이행을 요구할 권리가 있는가?

7 (가), (나)의 입장만을 〈보기〉에서 있는 대로 고른 것은?

(가) 윤리학은 도덕 언어의 의미를 분석하고 도덕 추론의 논리적 타당성을 입증하는 것을 탐구의 본질로 삼아야 한다. 따라서 윤리학의 목표는 도덕 명제에 포함된 도덕적 개념이 지닌 의미를 밝히는 것이다.
(나) 윤리학은 구체적인 상황에서 발생하는 문제에 관한 도덕적 해결책을 모색하는 것을 탐구의 본질로 삼아야 한다. 따라서 윤리학은 보편적 도덕 원리를 탐구하여 구체적 삶에 적용하는 실천적인 학문이 되어야 한다.

〈 보기 〉
ㄱ. (가): 윤리적 용어 및 개념의 의미 분석을 주요 핵심 과제로 삼아야 한다.
ㄴ. (나): 실천적 도덕 문제 해결을 위해 도덕 원리의 응용을 주요 핵심 과제로 삼아야 한다.
ㄷ. (나): 특정 문화권의 도덕 현상에 대한 가치 중립적 설명을 주요 핵심 과제로 삼아야 한다.
ㄹ. (가), (나): 삶에서 추구해야 할 규범 제시를 주요 핵심 과제로 삼아야 한다.

① ㄱ, ㄴ   ② ㄱ, ㄷ   ③ ㄷ, ㄹ
④ ㄱ, ㄴ, ㄹ   ⑤ ㄴ, ㄷ, ㄹ

[21913-0138] ○ △ ✕

8 (가)의 갑에 비해 을이 강조하는 상대적 특징을 (나) 그림의
㉠~㉢ 중에서 고른 것은? [3점]

| (가) | 갑: 우리는 시인들에 대해서 감시를 하며, 그들로 하여금 좋은 성품을 자신들의 시 속에 새겨 넣도록 강요하거나, 그렇게 하지 않으면 우리 곁에서 시를 짓지 못하도록 해야 할 것이다. |
| | 을: 시가 도덕적이라든가 혹은 비도덕적이라고 말하는 것은 정삼각형은 도덕적이고 이등변 삼각형은 비도덕적이라고 말하는 것과 마찬가지로 무의미하다. |

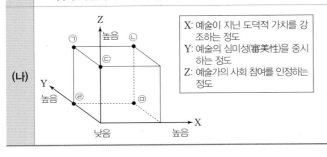

X: 예술이 지닌 도덕적 가치를 강조하는 정도
Y: 예술의 심미성(審美性)을 중시하는 정도
Z: 예술가의 사회 참여를 인정하는 정도

① ㉠　　② ㉡　　③ ㉢　　④ ㉣　　⑤ ㉤

[21913-0139] ○ △ ✕

9 (가)의 갑, 을 사상가들의 입장을 (나) 그림으로 표현할 때,
A~C에 해당하는 적절한 진술만을 〈보기〉에서 있는 대로 고른 것
은? [3점]

| (가) | 갑: 참된 사람[眞人]은 부족하다고 억지 부리지 않고, 일이 이루어졌다고 우쭐거리지도 않으며, 무엇을 하려고 도모하지도 않는다. 그는 삶은 즐겁고, 죽음은 슬픔이라는 것도 모르며, 자연스럽게 갔다가 자연스럽게 올 뿐이다. |
| | 을: 원숭이 또는 이성이 없는 다른 동물들과 똑같은 기관과 모양을 하고 있는 기계가 있다면, 이런 기계는 원숭이 또는 이성이 없는 다른 동물과 똑같은 본성을 지닌다. 이성이 없는 동물은 자동적 기계 장치와 같다. |

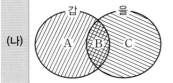

〈범례〉
A: 갑만의 입장
B: 갑, 을의 공통 입장
C: 을만의 입장

〈 보기 〉
ㄱ. A: 인간의 의도대로 자연을 통제하려 해서는 안 된다.
ㄴ. B: 인간과 자연은 서로 분리될 수 없는 상호 의존적 관계이다.
ㄷ. B: 자연은 인간의 필요나 효용과 상관없이 내재적 가치를 지닌다.
ㄹ. C: 자연은 의식이 없는 단순한 물질로 생명이 없는 기계와 같다.

① ㄱ, ㄴ　　② ㄱ, ㄹ　　③ ㄴ, ㄷ
④ ㄱ, ㄷ, ㄹ　　⑤ ㄴ, ㄷ, ㄹ

[21913-0140] ○ △ ✕

10 다음을 주장한 사상가가 부정의 대답을 할 질문으로 가장
적절한 것은?

• 농사에 때를 어기지 않으면 곡식은 넉넉히 거두고, 촘촘한 그물을 강에 던지지 않으면 물고기가 넉넉하게 번식하며, 숲에 때맞추어 들어가 도끼질하면 재목은 무성해진다. 곡식과 물고기가 넉넉하고 재목이 무성해지면, 백성들의 생존과 장례에 여한이 없게 된다. 민생과 장례는 바로 왕도(王道)의 첫 출발이다.
• 백성이 가장 귀중하고, 국가가 그 다음이며, 임금이 가벼운 것이다. 이 때문에 백성의 마음을 얻어야 천자(天子)가 되고 천자의 마음을 얻으면 제후(諸侯)가 되며 제후의 마음을 얻으면 대부(大夫)가 된다. 제후가 국가를 위태롭게 하면 다른 사람으로 바꾼다.

① 군주가 올바른 군주가 되려면 백성의 마음을 얻어야 하는가?
② 군주는 먼저 스스로 인격을 갖추고 난 후에 백성을 다스려야 하는가?
③ 군주는 백성에게 권세로 위압하여 일방적 명령을 강요하지 말아야 하는가?
④ 군주가 백성의 뜻을 살피지 못하더라도 통치의 정당성을 유지할 수 있는가?
⑤ 군주는 민생을 안정시키는 것을 근본으로 하는 어진 정치를 베풀어야 하는가?

정답과 해설

EBS 수능특강 Q 미니모의고사 **생활과 윤리**

01 회 미니모의고사　　　　　본문 4~7쪽

1 ④	2 ⑤	3 ④	4 ②	5 ②
6 ③	7 ①	8 ④	9 ①	10 ④

08 회 미니모의고사　　　　　본문 32~34쪽

1 ②	2 ③	3 ③	4 ④	5 ①
6 ④	7 ⑤	8 ②	9 ①	10 ④

02 회 미니모의고사　　　　　본문 8~11쪽

1 ⑤	2 ④	3 ①	4 ⑤	5 ⑤
6 ①	7 ⑤	8 ④	9 ②	10 ④

09 회 미니모의고사　　　　　본문 35~38쪽

1 ②	2 ④	3 ③	4 ④	5 ④
6 ②	7 ④	8 ①	9 ②	10 ④

03 회 미니모의고사　　　　　본문 12~15쪽

1 ②	2 ②	3 ④	4 ③	5 ④
6 ④	7 ③	8 ④	9 ④	10 ②

10 회 미니모의고사　　　　　본문 39~41쪽

1 ②	2 ④	3 ②	4 ③	5 ②
6 ②	7 ③	8 ③	9 ③	10 ③

04 회 미니모의고사　　　　　본문 16~19쪽

1 ①	2 ⑤	3 ④	4 ②	5 ⑤
6 ⑤	7 ③	8 ④	9 ④	10 ②

11 회 미니모의고사　　　　　본문 42~45쪽

1 ③	2 ②	3 ⑤	4 ⑤	5 ⑤
6 ①	7 ④	8 ⑤	9 ③	10 ②

05 회 미니모의고사　　　　　본문 20~23쪽

1 ⑤	2 ②	3 ③	4 ①	5 ④
6 ⑤	7 ②	8 ③	9 ①	10 ②

12 회 미니모의고사　　　　　본문 46~49쪽

1 ④	2 ①	3 ④	4 ⑤	5 ②
6 ⑤	7 ⑤	8 ④	9 ⑤	10 ②

06 회 미니모의고사　　　　　본문 24~27쪽

1 ②	2 ④	3 ④	4 ⑤	5 ②
6 ③	7 ④	8 ③	9 ②	10 ①

13 회 미니모의고사　　　　　본문 50~52쪽

1 ②	2 ⑤	3 ⑤	4 ③	5 ④
6 ①	7 ③	8 ⑤	9 ①	10 ②

07 회 미니모의고사　　　　　본문 28~31쪽

1 ③	2 ④	3 ②	4 ⑤	5 ③
6 ①	7 ⑤	8 ①	9 ②	10 ③

14 회 미니모의고사　　　　　본문 53~56쪽

1 ④	2 ①	3 ⑤	4 ③	5 ④
6 ③	7 ①	8 ④	9 ②	10 ④

01회 미니모의고사

본문 4~7쪽

| 1 ④ | 2 ⑤ | 3 ④ | 4 ② | 5 ② |
| 6 ③ | 7 ① | 8 ④ | 9 ① | 10 ④ |

1 메타 윤리학과 실천 윤리학 이해

문제분석 갑은 도덕적 언어의 의미를 분석하는 메타 윤리학을 강조하고 있고, 을은 현대에 나타나는 구체적 윤리 문제 해결을 위한 실천 윤리학의 필요성을 강조하고 있다.

정답찾기 ④ 실천 윤리학은 도덕 문제를 실천적으로 해결하기 위해 인접 학문과의 상호 협력을 강조한다.

오답피하기 ①, ②, ③ 메타 윤리학에 해당하는 진술이다.
⑤ 기술 윤리학에 해당하는 진술이다.

2 밀, 벤담, 칸트의 입장에서 서로에게 제기할 비판 이해

문제분석 (가)의 갑은 밀, 을은 벤담, 병은 칸트이다. 질적 공리주의자 밀은 쾌락의 양뿐만 아니라 질적인 차이도 중요하다고 보았다. 밀은 정상적인 인간이라면 누구나 질적으로 높고 고상한 쾌락을 추구할 것이라고 주장하였다. 양적 공리주의자 벤담은 모든 쾌락이 질적으로 동일하고 단지 양에서만 차이가 나기 때문에 쾌락의 양을 계산할 수 있으며, 이를 통해 유용성을 측정할 수 있다고 주장하였다. 칸트는 행위의 옳고 그름이란 오직 행위자가 책임질 수 있는 영역, 즉 행위자의 의지에 의해 결정된다고 주장하였다. 이런 점에서 칸트는 선의지만이 무제한적으로 선하며 도덕적 행위의 유일한 근거라고 주장하였다. 칸트에게 도덕적 행위란 선의지의 지배를 받는 행위, 즉 실천 이성의 명령을 따르는 행위이다. 여기에서 실천 이성이란 순수 이성을 통해 인식한 도덕 원리를 실천적·자율적 의지로 바꾸어 실천하게 하는 능력을 의미한다.

정답찾기 ⑤ 밀과 벤담은 최대 행복의 원리가 도덕의 원리가 될 수 있다고 주장한 반면, 칸트는 최대 행복의 원리가 도덕의 원리가 될 수 없다고 주장하였다.

오답피하기 ① 모든 쾌락은 질적으로 같으며 양적 차이만 있다는 입장은 벤담의 입장이므로 밀이 벤담에게 제기할 비판으로 적절하지 않다.
② 벤담과 밀은 모두 행위의 도덕 판단 기준이 행위의 동기와 무관하다고 보므로 벤담이 밀에게 제기할 비판으로 적절하지 않다.
③ 행복은 곧 쾌락이며 불행은 쾌락의 결여를 의미한다는 입장은 벤담의 입장이므로 칸트가 벤담에게 제기할 비판으로 적절하지 않다.
④ 행복의 추구가 인간의 자연적 경향성에 위배된다는 입장은 벤담의 입장이 아니므로 벤담이 밀과 칸트에게 제기할 비판으로 적절하지 않다.

3 죽음에 대한 에피쿠로스와 장자의 입장 비교

문제분석 갑은 에피쿠로스, 을은 장자이다. 에피쿠로스는 사람들이 죽음의 공포 때문에 고통스러워하는데 죽음은 우리가 경험할 수 없는 것이므로 고통의 대상이 될 수 없고, 따라서 죽음을 두려워할 필요가 없다고 주장하였다. 장자는 삶과 죽음은 기(氣)가 모이고 흩어지는 것이므로 삶과 죽음을 분별의 대상으로 간주하지 말아야 한다고 주장하였다.

정답찾기 ④ 장자는 삶과 죽음은 사계절의 순환과 같은 것이므로 삶과 죽음을 구별하지 말고 죽음에 초연해야 한다고 주장하였다.

오답피하기 ① 에피쿠로스는 죽음 이후에는 감각이 소멸하여 고통과 쾌락을 느낄 수 없다고 주장하였다.
② 에피쿠로스는 죽음을 통해 열반의 경지에 도달해야 한다고 주장하지 않았다.
③ 장자는 삶과 죽음을 자연스러운 과정으로 보고, 삶을 기쁜 것으로도 죽음을 슬퍼할 것으로도 여기지 않았다.
⑤ 에피쿠로스와 장자는 죽음 이후 영혼의 평안함에 대해서는 강조하지 않았다.

4 롤스와 노직의 분배 정의론 비교

문제분석 갑은 롤스, 을은 노직이다. 롤스는 공정한 분배가 이루어지려면 사회 제도가 공정한 조건에서 합의되는 정의 원리에 의해 규제되어야 한다고 보았다. 이를 위해 원초적 입장에 놓인 사람들은 자신이 가장 불리한 상황에 놓일 가능성을 염두에 두고 모든 사람에게 공정한 정의 원리에 만장일치로 합의하게 된다고 보았다. 노직은 자유로운 경제 활동 과정에서 다른 사람들의 기본적인 자유와 권리를 침해하지 않는 한, 개인은 그 소유물에 대한 절대적 권리를 지닌다고 보았다.

정답찾기 ㄱ. 롤스는 정의의 두 원칙을 원초적 입장에 놓인 사람들이 만장일치로 합의한 원칙으로 본다.
ㄹ. 롤스와 노직은 기본적 자유는 최소 수혜자의 처지 개선을 명분으로 제한될 수 없다고 본다.

오답피하기 ㄴ. 노직은 재화의 이전(양도) 과정에서 부정의가 발생한 경우에 국가가 개입할 수 있다고 본다.
ㄷ. 롤스와 노직은 다수의 이익을 위해 소수의 권리가 침해되어서는 안 된다고 본다.

5 기업의 사회적 책임에 대한 입장 비교

문제분석 갑은 보겔, 을은 프리드먼이다. 보겔은 기업이 사회적 책임을 이행할 경우 그 기업은 소비자로부터 긍정적 이미지를 갖게 되고 이는 장기적 관점에서 기업의 이윤 추구에 도움이 된다고 본다. 프리드먼은 기업에 이윤 추구 이외의 사회적 책임을 강요하는 것은 자유 시장 경제의 틀을 깨는 것이라고 본다.

정답찾기 ② 보겔은 프리드먼에게 기업이 사회적 책임을 이행하는 것은 장기적 관점에서 기업에도 이익이 될 수 있다고 비판을 제기할 수 있다.

오답피하기 ① 보겔은 기업의 근본 목적이 사회 복지와 공동선의 실현에 있다고 보지 않는다. 보겔은 프리드먼과 마찬가지로 기업의 근본 목적은 이윤 추구라고 본다.

③ 프리드먼은 기업의 목적이 이윤 추구만으로 제한되어야 한다고 본다.

④ 프리드먼은 기업은 기업과 관련된 모든 사람의 이익이 아니라 주주의 이익을 극대화해야 한다고 본다.

⑤ 프리드먼은 기업이 소비자의 삶의 질 향상을 위해 사회적 책임을 이행해야 한다고 보지 않는다.

6 사형 제도에 대한 칸트, 베카리아, 루소의 입장 비교

문제분석 갑은 칸트, 을은 베카리아, 병은 루소이다. 칸트는 형벌의 본질은 응보에 있으며, 응보주의에 따른 사형은 인간을 다른 목적을 위한 수단으로 취급하는 것이 아님을 주장한다. 베카리아는 사형 제도는 범죄 예방이라는 형벌의 목적 달성에 그다지 효율적이지 못함을 주장한다. 루소는 사형은 살인을 저지름으로써 계약을 위반한 범죄자에 대한 정당한 처벌이라고 주장한다.

정답찾기 ㄷ. 베카리아는 사형은 종신 노역형에 비해 범죄 예방 효과가 떨어진다고 본다.

ㄹ. 루소는 살인자는 법률적 인격체가 아니라 단순한 인간에 불과한 존재이며, 국가의 적이므로 시민의 자격을 박탈해야 한다고 본다.

오답피하기 ㄱ. 범죄와 형벌 사이에는 비례의 원칙이 적용되어야 한다는 것에는 칸트와 베카리아 모두 동의한다.

ㄴ. 베카리아는 형벌의 기초는 사회 계약의 약정, 즉 법률에 있다고 본다. 따라서 사회 계약의 위반자에 대한 처벌권은 법률의 집행권을 위임받은 국가에 의해 행사되어야 한다. 루소는 범죄는 사회 계약을 위반한 것이므로 국가가 범죄자를 처벌해야 한다고 주장한다.

7 과학과 윤리의 관계 이해

문제분석 (가)는 과학에는 주관적 가치가 개입될 수 없으며 과학적 진리는 사회로부터 독립적이므로 과학자는 진리를 발견하는 일에만 주력하면 된다고 본다. 이에 비해 (나)는 과학에서 연구 대상의 설정과 연구 결과 활용에는 주관적 가치가 개입될 수밖에 없으므로 과학자는 연구가 미칠 사회적 영향에 대해서도 책임을 져야 한다고 본다.

정답찾기 ㄱ. (가)는 과학자는 과학 연구 결과의 활용에 대한 사회적 책임으로부터 독립적이며, 과학적 진리 탐구에만 최선을 다하면 된다고 본다.

ㄴ. (나)는 과학에서 연구 대상의 설정과 연구 결과 활용에는 주관적 가치가 개입되지만 관찰과 실험은 객관적이어야 한다고 본다.

오답피하기 ㄷ. (나)뿐만 아니라 (가)도 과학적 사실의 진위 판단에는 주관적 가치가 개입되어서는 안 된다고 본다.

ㄹ. 과학의 활용 결과에 대해 과학자의 윤리적 성찰이 필요하다고 보는 것은 (나)만 해당한다.

8 칸트, 싱어, 테일러의 환경 윤리 이론 비교

문제분석 갑은 칸트, 을은 싱어, 병은 테일러이다. 칸트는 동물 학대가 인간을 학대하는 것으로 이어질 수 있으므로 인간은 동물을 학대하지 말아야 할 간접적 의무를 지닌다고 주장하였다. 싱어는 인간을 포함해 고통을 느낄 수 있는 모든 존재를 도덕적 고려의 대

상으로 삼아야 한다고 주장하였다. 테일러는 모든 생명체는 자기 보존과 행복을 위해 움직이는 목적론적 삶의 중심으로서 인간과 마찬가지로 자기실현을 위한 고유한 선을 가지며, 선을 갖는 실체들은 내재적 존엄성을 갖는다고 주장하였다.

정답찾기 ㄱ. 칸트에게만 해당하는 진술이다. 칸트는 동물 학대가 인간을 학대하는 것으로 이어질 수 있으므로 동물을 학대하지 말아야 한다고 보았다. 반면 싱어와 테일러는 인간과 관련된 경우가 아닐지라도 동물을 도덕적 고려의 대상으로 간주해야 한다고 보았다.

ㄴ. 싱어에게만 해당하는 진술이다. 싱어는 쾌고 감수 능력을 지닌 존재를 도덕적 고려의 대상으로 삼아야 한다고 보았다.

ㄹ. 칸트, 싱어, 테일러에 따르면 동물 학대 금지는 인간이 져야 할 의무에 해당한다.

오답피하기 ㄷ. 싱어는 인간과 동물을 동등하게 도덕적으로 고려해야 한다고 보았지만, 인간과 동물을 동일하게 대우해야 한다고 보지는 않았다.

9 해외 원조에 대한 롤스와 싱어의 입장 비교

문제분석 갑은 롤스, 을은 싱어이다. 롤스는 질서 정연한 사회를 만들기 위해 사회적·국가적 차원에서 고통받는 사회를 돕는 것이 윤리적 의무라고 보았고, 싱어는 전 인류의 행복을 증진시켜야 한다는 공리주의에 입각해 빈곤으로 고통받는 사람을 돕는 것이 윤리적 의무라고 보았다. 한편 롤스는 원조가 자유와 평등이 실현되는 사회 체제의 구축을 위해 시행되어야 한다고 주장한 반면, 싱어는 '이익 평등 고려의 원칙'에 입각하여 모든 사람의 고통을 감소시키고 행복을 증진시키기 위해 필요하다고 주장하였다.

정답찾기 ① 싱어는 롤스에 비해 사회 구조의 개혁이 원조의 목적임을 강조하는 정도(X)는 낮고, 이익 동등 고려의 원칙에 근거해 원조를 강조하는 정도(Y)와 불평등한 인류의 고통 감소와 쾌락 증진이 원조의 목적임을 강조하는 정도(Z)는 높다.

10 정약용의 공직자 윤리 이해

문제분석 제시문은 정약용이 목민관으로서 지녀야 할 자세에 대해 언급한 내용이다. 정약용은 백성은 나라의 근본이니 목민관은 백성의 삶을 직접 살피고 백성의 뜻을 임금에게 알려야 하며, 자신의 일을 잘 수행할 수 있도록 청렴으로 자신을 다스려야 한다고 하였다.

정답찾기 ④ 목민관은 절용과 청렴의 자세를 지녀야 하지만, 그렇다고 사유 재산 자체를 포기해야 하는 것은 아니다.

오답피하기 ① 목민관의 기본 덕목이 애민(愛民)에 있음을 언급한 내용으로부터 추론할 수 있다.

② 목민관은 왕을 대신해 백성의 삶을 직접 보고 들을 뿐만 아니라 왕의 뜻을 백성에게 직접 전한다는 제시문의 내용에서 추론할 수 있다.

③ 목민관은 백성이 나라의 근본이라는 생각을 바탕으로 백성을 받들어야 함을 강조하고 있다.

⑤ 목민관은 청렴으로 자신을 다스려야 한다는 내용에서 추론할 수 있다. 이는 사욕을 버리고 공정하게 업무를 처리하기 위해 요구되는 것이다.

1 ⑤	2 ④	3 ①	4 ⑤	5 ⑤
6 ①	7 ⑤	8 ④	9 ②	10 ④

1 이론 규범 윤리학과 메타 윤리학 비교

문제분석 제시문의 필자는 이론 규범 윤리학의 입장에서 윤리학은 인간이 준수해야 할 보편적인 규범에 대한 이론적 탐구를 목적으로 삼아야 한다고 주장한다. 반면에 '어떤 사람'은 메타 윤리학의 입장에서 윤리학적 개념의 의미 분석과 도덕 추론의 타당성 검토를 윤리학의 핵심 과제로 삼아야 한다고 주장한다.

정답찾기 ⑤ 제시문의 필자는 이론 규범 윤리학의 입장에서 자신의 주장을 펴고 있다. 이론 규범 윤리학은 선악을 결정할 수 있는 도덕 판단의 기준 제공을 중시한다.

오답피하기 ① 제시문의 필자는 윤리학을 당위의 학문으로 파악하는 입장이다.
② 메타 윤리학은 윤리학이 하나의 학문으로 성립 가능한지에 대한 검토를 중시한다.
③ 제시문의 필자는 윤리학이 도덕적 현상을 가치 중립적 관점에서 설명하기보다는 보편적 도덕 원리에 대한 탐구를 해야 한다는 입장이다.
④ 특정 사회의 도덕적 풍습이나 관습을 기술하는 것을 본질로 삼는 윤리학은 기술 윤리학이다.

2 덕 윤리와 의무론적 윤리 사상 비교

문제분석 갑은 덕 윤리를 주장한 매킨타이어이고, 을은 의무론적 윤리를 주장한 칸트이다. 덕 윤리는 행위보다는 행위자의 품성을 중시하고, 의무론적 윤리는 행위 그 자체의 옳음을 중시한다.

정답찾기 ④ 덕 윤리는 행위 그 자체보다 행위자의 품성에 주목해야 한다고 본다.

오답피하기 ① 칸트의 의무론적 윤리는 보편화 가능한 도덕 법칙에 따라야 한다고 본다.
② 칸트의 의무론적 윤리는 행위의 결과보다 동기를 중시한다.
③ 칸트의 의무론적 윤리는 인간을 수단으로만 대우하지 말아야 한다고 본다.
⑤ 덕 윤리는 추상적 도덕 원리보다는 구체적 맥락을 중시한다.

3 죽음에 대한 불교와 소크라테스의 입장 이해

문제분석 갑은 대승 불교의 선승(禪僧)이다. 을은 소크라테스이며, 플라톤이 그의 입장을 이어받았다.

정답찾기 ㄱ. 불교에서는 출생과 죽음이 반복되는 윤회의 고리와 고통으로부터 벗어나기 위한 해탈을 해야 한다고 가르친다.
ㄷ. 소크라테스는 육체는 필연적으로 소멸하지만, 영혼은 불사한다고 주장한다.

오답피하기 ㄴ. 죽음과 관련해 불교는 현세의 삶을 포기하라고 가르치지 않는다.

ㄹ. 소크라테스와 플라톤은 죽음이 없는 영원한 삶, 즉 자연을 따르는 수련에 의한 장생불사의 삶을 주장하지 않는다.

4 배아 연구와 배아의 도덕적 지위 이해

문제분석 갑은 배아를 인간과 동일시하는 입장에 대해 비판하면서도 배아를 자연의 숭고한 선물로 인식한다면, 배아를 존중하면서도 배아 줄기세포에 대한 연구가 가능하다고 주장한다. 을은 배아로부터 인간에 이르는 일련의 과정은 연속적이므로 인간과 배아는 동등한 존엄성을 지닌다고 주장한다.

정답찾기 ㄱ. 갑은 배아가 인간과 동일한 지위를 갖는 것은 아니지만 존중의 대상임을 주장하고, 을은 배아와 인간이 동등한 존엄성을 지닌다고 주장한다.
ㄷ. 갑은 질병 치료를 목적으로 하는 배아 줄기세포의 연구가 허용될 수 있다고 본다.
ㄹ. 을은 배아에서 인간이 되는 과정은 동일한 단일의 실재가 연속되는 과정이라고 본다.

오답피하기 ㄴ. 배아의 도덕적 지위를 인격체의 도덕적 지위와 동등하게 보는 것은 갑이 아니라 을이다.

5 사랑에 관한 프롬의 입장 이해

문제분석 제시문은 프롬의 주장이다. 프롬은 사랑은 두 존재가 하나로 되면서도 여전히 둘로 남을 수 있는 것이어야 함을 주장하면서, 사랑은 적극적이고 능동적인 활동으로 자신의 것을 주는 것임을 강조한다.

정답찾기 두 번째 관점은 사랑이 분리된 두 사람을 하나로 묶어 주는 것이라는 점에서 옳은 진술이다.
세 번째 관점은 사랑은 자신의 것을 상대에게 주어 자신의 잠재 능력을 발휘하는 것이라는 점에서 옳은 진술이다.
네 번째 관점은 사랑은 서로의 독립성을 유지하면서 하나가 되는 것이라는 점에서 옳은 진술이다.

오답피하기 첫 번째 관점은 사랑은 타인을 독립된 인격으로 존중하는 것이라고 보는 프롬의 관점으로 볼 수 없다.

6 베이컨과 슈바이처의 사상 비교

문제분석 갑은 베이컨, 을은 슈바이처이다. 베이컨은 자연을 정복하여 인간의 물질적 생활을 향상시키는 것을 과학의 목적으로 파악한다. 슈바이처는 생명 있는 존재들에 대한 경외를 윤리의 출발점으로 삼는다.

정답찾기 ㄱ. 베이컨은 자연을 인간의 생활을 향상시키는 도구로 파악한다.
ㄴ. 슈바이처는 모든 생명은 살고자 하는 의지를 지니고 있으며 그 자체로 신성하다는 생명의 동등성을 주장한다.

오답피하기 ㄷ. 슈바이처는 자기 존재를 유지하기 위해 불가피하게 다른 생명을 해쳐야 하는 경우가 발생할 수 있음을 인정한다.
ㄹ. 슈바이처는 생명에 대한 무한한 책임을 강조한다.

정답과 해설

7 베카리아, 칸트, 벤담의 관점 이해

문제분석 갑은 베카리아, 을은 칸트, 병은 벤담이다. 베카리아는 범죄 예방의 효과 측면에서 형벌을 검토하고, 칸트는 형벌의 본질인 응보에 입각하여 형벌에 대해 판단한다. 벤담은 형벌을 사회 이익을 증진하기 위한 수단이라고 본다.

정답찾기 ⑤ 칸트는 형벌이 그 자체로 범죄에 대한 응보여야 한다고 강조하며, 벤담은 형벌이 사회의 이익을 증진하기 위한 수단이라고 강조한다.

오답피하기 ① 칸트는 준법의 의무에 있어 신분에 따라 차별을 두지 않는다.
② 벤담은 범죄 예방에 기여할 수 있을 때 형벌이 정당화된다고 본다.
③ 베카리아는 범죄 억제력 측면에서 종신 노역형이 사형보다 효과적이라고 본다.
④ 벤담은 형벌이 최대 다수의 최대 행복을 위한 수단이라고 본다.

8 시민 불복종에 대한 소로와 롤스의 입장 비교

문제분석 갑은 소로, 을은 롤스이다. 소로는 양심에 어긋나는 불의한 법에 복종하지 말 것을 주장하였다. 롤스는 시민 불복종은 특정 국가의 법률이 정의의 가치에 위배될 때 행해지게 되는 시민들의 최후의 저항이라고 주장하였다.

정답찾기 ④ 롤스는 시민 불복종을 국가의 체제를 변혁시키기 위한 방법이 아닌 거의 정의로운 사회에서 부정의한 법이나 정부의 정책에 변혁을 가져올 목적으로 이루어지는 정치적 행위라고 규정하였다.

오답피하기 ① 소로는 양심에 어긋나는 법에 복종하지 말아야 한다고 보았다.
② 롤스는 시민 불복종을 사회 구성원들의 공유된 정의관을 바탕으로 행해지는 시민들의 최후 저항이라고 보았다.
③ 소로는 시민 불복종을 정의롭지 못한 국가 권력에 대해 자신의 가치를 지키는 방법이라고 보았다.
⑤ 소로와 롤스는 시민 불복종을 신중하고 양심적인 신념의 표현이어야 한다고 보았다.

9 문화 산업으로서 대중문화의 특징 이해

문제분석 제시문의 사상가는 아도르노이다. 아도르노는 대중문화를 사람들의 모든 사고를 동질적으로 반응하게 만들기 위한 도구라고 보았다. 그는 대중문화가 한 사람도 빠져나갈 수 없게 사람들을 포섭하고 통제함으로써 기존의 지배 관계와 사회 체제를 정당화하고 재생산하는 역할을 하게 한다고 보았다. 그래서 아도르노는 대중문화를 문화 산업이라는 새로운 용어로 지칭하였다.

정답찾기 ② 아도르노는 문화 산업이 대중에게 저항 의식보다는 도피를 꿈꾸게 한다고 보았다. 이러한 입장에서 볼 때 문화 산업이 기존의 사회 체제를 비판하는 역할을 수행한다고 볼 수 없다.

오답피하기 ① 아도르노는 문화 산업은 대중이 사회적 객체로서 자기의식을 가질 수 있는 능력을 상실하게 한다고 보았다.
③ 아도르노는 문화 산업이 주는 유흥과 허위적 욕구의 충족은 현실의 고통을 잊게 만든다고 보았다.
④ 아도르노는 문화 산업의 최대 목적은 이윤 추구이므로, 대중문화의 조종자들은 대중 매체를 이용하여 자신들의 상업적 이익을 극대화하기 위해 문화를 산업화한다고 보았다.
⑤ 아도르노는 문화 산업의 조정자들은 미리 계획된 의도에 따라 획일화된 욕구와 사유의 양식을 만들어 대중을 지배하며, 이를 통해 상업적 이익을 극대화한다고 보았다.

10 갈퉁이 제시한 평화의 개념 이해

문제분석 그림의 강연자는 갈퉁의 평화론을 지지하는 입장이다. 갈퉁은 평화를 소극적 평화와 적극적 평화로 구분하였다. 그는 소극적 평화는 직접적 폭력이 없는 상태를 의미하고, 적극적 평화는 간접적·구조적·문화적 폭력까지 없는 상태를 의미한다고 보았다.

정답찾기 ㄱ. 강연자의 주장 중 평화는 평화적 수단에 의해서만 성취해야 한다는 내용을 통해 평화가 비폭력적 수단에 의해서만 달성되어야 한다는 주장을 추론할 수 있다.
ㄴ. 갈퉁은 적극적 평화를 실현하기 위해서는 구조적 폭력이 없는 상태를 만들어야 한다고 보았다.
ㄹ. 갈퉁은 진정한 평화를 실현하기 위해서는 직접적 폭력뿐만 아니라 구조적·문화적 폭력이 없는 상태를 추구해야 한다고 보았다.

오답피하기 ㄷ. 갈퉁은 의도되지 않은 사회적 분열과 소외도 구조적 폭력에 해당한다고 보았다.

| 1 ② | 2 ② | 3 ④ | 4 ③ | 5 ④ |
| 6 ④ | 7 ③ | 8 ④ | 9 ④ | 10 ② |

1 이론 규범 윤리학과 기술 윤리학 비교

문제분석 (가)는 이론 규범 윤리학, (나)는 기술 윤리학의 입장이다. 이론 규범 윤리학은 어떤 원리가 윤리적 행위를 위한 근본 원리로 성립할 수 있는지 탐구하여 윤리 이론을 정립하고자 한다. 반면 기술 윤리학은 도덕적 관습이나 풍습 등을 경험적으로 조사하여 객관적으로 기술하고자 한다.

정답찾기 ㄱ. 이론 규범 윤리학은 옳은 행위의 규범적 기준이 되는 도덕 원리를 제시하고 이를 정당화할 것을 강조한다.
ㄷ. 기술 윤리학은 도덕 현상의 원인과 결과를 조사하여 객관적으로 기술할 것을 강조한다.

오답피하기 ㄴ. 도덕 판단의 추론 과정에 대한 논리적 타당성 검증을 중시하는 것은 메타 윤리학의 입장이다.
ㄹ. 삶의 지침이 되는 도덕규범의 정립을 핵심 과제로 삼는 것은 이론 규범 윤리학만의 입장이다. 기술 윤리학은 도덕 현상과 도덕 문제에 대한 객관적 기술을 중시한다.

2 규칙 공리주의와 담론 윤리의 입장 비교

문제분석 (가)는 규칙 공리주의, (나)는 담론 윤리이다. 규칙 공리주의는 최대의 유용성을 산출하는 규칙을 강조하며, 유용성의 원리에 의해 정당화된 규칙에 부합하는 행위를 옳은 행위로 본다. 담론 윤리는 의사소통의 합리성이 실현될 때 서로 갈등하는 다양한 의견이 합리적 논의를 통해 합의에 도달할 수 있으며, 대화에 참여한 모든 사람이 그 결과를 수용할 수 있다고 주장한다.

정답찾기 ㄱ. 규칙 공리주의는 '최대 다수의 최대 행복', 즉 사회적 효용을 극대화할 수 있는 행위 규칙의 준수를 강조한다.
ㄷ. 담론 윤리는 합리적 의사소통을 실현할 때 갈등하는 다양한 의견에 대한 합의에 도달할 수 있으며, 대화에 참여한 모든 사람이 합의 결과를 수용함으로써 보편적 규범을 도출할 수 있다고 본다.

오답피하기 ㄴ. 담론 윤리는 자유롭고 개방적인 토론을 통해 의사소통에 참여한 모든 이해 당사자의 동의를 얻을 수 있는 규범만이 타당성을 지니고 행위에 대한 구속력 또한 지닐 수 있다고 본다.
ㄹ. 규칙 공리주의는 사회 전체의 효용 증가, 즉 공리의 원리를 만족시키는 행위 규칙이 타당하다고 판단한다. 담론 윤리는 규범의 옳고 그름에 대한 기준을 공적 담론 과정에서 찾는다.

3 성에 대한 입장 이해

문제분석 제시문은 보부아르의 "제2의 성"에 나오는 내용이다. 보부아르는 여성은 여성으로 태어나는 것이 아니라 사회 속에서 남성에 의해 규정됨으로써 주체성을 상실하고 '타자'로서의 삶을 살아가게 된다고 보았다. 여성에 대한 사회적 규정은 여성을 남성에 의해 예속된 존재로 만들며 여성에 대한 사회적 불평등을 정당화시키므로, 여성 차별을 없애기 위해서는 여성 스스로가 예속에서 벗어나 남성과 동등한 주체성을 회복하기 위해 노력하는 것이 필요하다고 보았다.

정답찾기 ㄱ. 보부아르는 여성이 남성에게 예속된 존재로 규정됨으로써 주체가 되지 못하고 객체의 위치에 머물게 된다고 보았다.
ㄴ. 보부아르는 여성이 예속에서 벗어나 남성과 평등해지기 위해서는 남성과 동등하게 인간으로서의 주체성을 회복해야 한다고 주장하였다.
ㄷ. 보부아르는 여성이 남성처럼 사회에 참여하거나 경제 활동을 전개함으로써 주체성을 찾을 수 있는 가능성이 열리게 되므로, 이를 위해서는 여성 자신의 각성도 필요하다고 보았다.

오답피하기 ㄹ. 보부아르는 여성과 남성이 생물학적으로 다르다는 이유로 여성을 불평등하게 대우하는 것에 대해 비판하였다.

4 정보 사유론과 정보 공유론 비교

문제분석 갑은 저작권 보호를 주장하는 정보 사유론의 입장이고, 을은 정보의 공유를 주장하는 정보 공유론의 입장이다. 정보 사유론은 정보 생산에 필요한 시간, 노력, 비용에 대해 대가를 지불해야 한다고 본다. 반면 정보 공유론은 정보는 지적 창작물로 공공재이기 때문에 누구나 동등하게 정보에 접근할 수 있어야 한다고 본다.

정답찾기 ③ 갑은 정보 사유론의 입장에서 자신이 생산한 정보에 대해 배타적 소유권을 보장하지 않는 을에게 정보가 개인의 노동력을 투입해 산출된 사적 자산임을 무시하고 있다고 반론을 제기할 수 있다.

오답피하기 ① 정보 공유를 주장하는 입장에서 저작권 보호를 주장하는 입장에게 제기할 반론에 해당한다.
② 갑은 정보의 무단 복제를 허용하는 것에 동의하지 않을 것이다.
④ 갑, 을 모두 경제적 약자를 고려하여 정보를 차등적으로 분배해야 한다는 내용을 언급하고 있지 않다.
⑤ 을은 정보를 나눔으로써 새로운 정보를 생산할 수 있다고 보기 때문에 사적 독점권을 보장하지 않으면 정보의 생산량이 증대될 수 있다고 볼 것이다.

5 자녀 윤리 이해

문제분석 (가)는 맹자의 주장이다. (가)는 부모의 뜻을 잘 헤아려 받드는 것이 중요함을 강조하는 내용으로 맹자가 이야기한 양지의 효를 중시하는 것이다. 양지의 효는 부모의 뜻을 거스르지 않으면서 마음을 편안하게 해 드리는 것으로 효의 정신적인 측면을 중시한다. 따라서 (나)의 ㉠에는 부모의 뜻을 잘 받들고자 노력하는 효의 정신적 측면을 강조하는 진술이 들어가면 된다.

정답찾기 ㄴ. 양지의 효는 부모를 정신적으로 편안하게 해 드리는 것이다.
ㄹ. 양지의 효는 부모의 마음을 기쁘게 해 드릴 수 있도록 노력하는 것이다.

오답피하기 ㄱ, ㄷ. 양지의 효는 부모의 뜻을 잘 받들고 정신적으로 공경해야 함을 강조하는 것이다.

6 환경 윤리 이해

문제분석 갑은 테일러이다. 그는 모든 생명체는 목적론적 삶의 중심으로서 자기의 생존, 성장, 발전, 번식이라는 목적을 추구한다고 보았다. 또한 이러한 의미에서 모든 생명체는 고유한 가치를 지니므로 인간은 자신의 고유의 선을 지니는 모든 생명체를 도덕적으로 고려해야 한다고 주장하였다. 을은 싱어이다. 그는 공리주의에 근거하여 동물은 쾌고 감수 능력을 지니므로 동물도 도덕적 고려의 대상이라고 보았다. 또한 인간과 종이 다르다는 이유로 동물을 차별하는 '종 차별주의'는 옳지 않다고 주장하였다. 병은 데카르트이다. 그는 인간의 이성에 의해 구축되는 확실한 지식을 추구하였으며 물질과 정신을 별개의 것으로 보는 이원론을 주장하였다. 또한 자연을 의식 없는 단순한 물질, 즉 하나의 기계에 불과하다고 보았다. 따라서 생명 중심주의의 입장을 지닌 갑, 동물 중심주의의 입장을 지닌 을, 인간 중심주의의 입장을 지닌 병이 서로에게 할 수 있는 비판으로 적절한 것을 고르면 된다.

정답찾기 ④ 을은 공리주의에 근거하여 동물과 인간의 이익 관심을 평등하게 고려해야 한다고 보기 때문에 동물도 인간처럼 도덕적 고려의 대상이어야 한다고 보았다. 이에 비해 병은 인간의 정신은 존엄한 것이지만 동물은 단순한 물질로서 기계에 불과하다고 보았다. 따라서 을의 입장에서 병에게 제기할 비판으로 적절하다.

오답피하기 ① 갑은 모든 생명체는 목적론적 삶의 중심으로서 고유한 가치를 지니므로 동물과 달리 식물은 도덕적 존중의 대상이 될 수 없다고 보지 않을 것이다. 따라서 갑이 을에게 제기할 비판으로 적절하지 않다.
② 갑은 모든 생명체를 도덕적 고려의 대상으로 삼기 때문에 도덕적 행위 능력을 지닌 존재만이 도덕적 고려의 대상이 되어야 한다고 보지 않을 것이다. 따라서 갑이 병에게 제기할 비판으로 적절하지 않다.
③ 어떤 존재의 내재적 가치 판단의 근거를 이성의 소유 여부로 보는 것은 인간 중심주의적 입장에서 주장할 내용이다. 따라서 동물 중심주의의 입장을 지닌 을이 제기할 비판으로 적절하지 않다.
⑤ 동물을 잔인하게 학대하는 것은 동물에게 고통을 주는 것으로 인간의 도덕적 의무에 위배된다고 보는 것은 을이다. 따라서 병이 을에게 제기할 비판으로 적절하지 않다.

7 형벌에 대한 베카리아, 벤담, 칸트의 입장 비교

문제분석 갑은 베카리아, 을은 벤담, 병은 칸트이다. 베카리아는 사형 제도를 효과가 크지 않고 사회 계약에 포함될 수 없다는 점을 들어 반대하였다. 벤담은 형벌은 그 자체가 악이라는 점을 감안하여 범죄 예방이라는 목적에 부합하게 적정한 정도로 내려져야 한다고 보았다. 칸트는 응보주의적 입장에서 범죄에 상응하는 형벌을 내려야 한다고 보았다.

정답찾기 ㄴ. 벤담은 긍정, 칸트는 부정의 대답을 할 질문이다. 벤담에게 있어서의 형벌의 목적은 공동체 전체의 행복 증진이지만, 칸트에게 있어서의 형벌의 목적은 범죄 행위에 대한 응보이다.
ㄹ. 칸트가 긍정의 대답을 할 질문이다. 칸트는 형벌을 범죄 행위에 상응하는 응분의 책임을 부과하는 것이라고 보았다.

오답피하기 ㄱ. 칸트가 긍정의 대답을 할 질문이다. 베카리아는

범죄 예방 효과의 측면에서 볼 때 사형보다는 종신 노역형이 효과적임을 들어 사형 제도의 폐지를 주장한 반면, 칸트는 살인범에 대한 사형은 정당한 형벌로써 인정될 수 있다고 보았다.
ㄷ. 벤담은 형벌의 목적을 범죄자의 교화와 범죄 예방에 두었다.

8 정치적 권위의 복종에 대한 로크의 입장 이해

문제분석 제시문의 사상가는 로크이다. 로크는 동의를 근거로 정치적 권위에의 복종을 정당화하고자 하였다. 그러나 로크는 정부가 인민의 자유와 재산을 심각하게 침해한다면 인민은 그러한 정부에 저항하고 새로운 정부를 수립할 권리가 있다고 보았다.

정답찾기 ㄱ. 로크는 인간은 생명, 자유, 재산에 대한 천부적 권리를 지닌다고 보았다.
ㄴ. 로크가 생각하는 국가는 개인의 자유와 권리를 보장하기 위해 사회 계약을 통해 구성된 것이다.
ㄹ. 로크는 입법자들이 인민을 노예로 만들고자 할 경우 그들의 수중에 맡겨진 권력을 신탁 위반으로 상실하게 된다고 보았다. 또한 인민은 그들의 원래의 자유를 회복할 권리와 그들이 적합하다고 생각하는 바에 따라 새로운 입법부를 설립할 수 있는 권리를 가지게 된다고 보았다.

오답피하기 ㄷ. 로크는 정치적 의무가 인민의 동의에 근거해 성립된다고 보았다.

9 칸트의 영구 평화론에 대한 입장 파악

문제분석 제시문을 주장한 사상가는 칸트이다. 그는 국내적으로 내정 간섭을 받지 않는 공화제를 도입하고, 국제적으로 보편적 우호 관계에 따라 국제법을 적용하는 국제적 연맹을 창설함으로써 영구 평화가 달성될 수 있다고 본다.

정답찾기 ④ 칸트는 영구 평화를 위해 상비군이 완전히 폐지되어야 한다고 본다.

오답피하기 ① 칸트가 제시한 영구 평화론의 확정 조항이다. 칸트는 모든 국가의 시민적 정치 체제는 공화 정체여야 한다고 본다.
② 칸트가 제시한 영구 평화론의 확정 조항이다. 칸트는 국제법은 자유로운 국가의 연방 체제에 기초해야 한다고 본다.
③ 칸트가 제시한 영구 평화론의 확정 조항이다. 칸트는 세계 시민법은 보편적 우호의 조건들에 국한되어야 한다고 본다.
⑤ 칸트가 제시한 영구 평화론의 예비 조항이다. 칸트는 어떠한 독립 국가도 상속, 교환, 매매 혹은 증여에 의해 다른 국가의 소유로 전락될 수 없다고 본다.

10 소수 집단 우대 정책에 대한 입장 비교

문제분석 갑은 소수 집단 우대 정책은 성적이 뛰어난 학생이 역차별을 받게 된다는 이유로 시행에 부정적인 입장을 취하고 있는 반면, 을은 소수 집단 우대 정책은 공동선을 증진시켜 준다는 이유로 시행에 긍정적인 입장을 취하고 있다.

정답찾기 ㄱ. 갑은 을과 달리 소수 집단에 대한 특혜가 역차별을 초래할 수 있다고 보고 있다.
ㄷ. 을은 갑과 달리 사회적 다양성이 확보될 때 사회가 건전한 통합

을 이룰 수 있음을 근거로 소수 집단 우대 정책의 시행에 긍정적인 입장이다.

오답피하기 ㄴ. 을은 소수 집단 학생에 대한 입학 허가는 사회적으로 가치 있는 목적을 실현할 수 있다고 본다. 따라서 갑이 을을 비판할 수 있는 진술로 적절하지 않다.

ㄹ. 갑은 능력과 업적 위주로 사회적 가치를 분배해야 공정하다는 입장이다. 따라서 을이 갑을 비판할 수 있는 진술로 적절하지 않다.

04회 미니모의고사
본문 16〜19쪽

| 1 ① | 2 ⑤ | 3 ④ | 4 ② | 5 ⑤ |
| 6 ⑤ | 7 ③ | 8 ④ | 9 ④ | 10 ② |

1 기술 윤리학과 규범 윤리학의 특징 비교

문제분석 (가)는 윤리학이 도덕 현상과 관련된 사회적 관습을 사실적이며 경험적으로 기술하는 것을 핵심 과제로 삼아야 한다고 보았으므로 기술 윤리학에 해당한다. 반면에 (나)는 윤리학이 실천 철학으로서 도덕적 행위에 관한 보편적 원리를 발견하기 위해 노력해야 한다고 보았으므로 규범 윤리학에 해당한다. 규범 윤리학은 기술 윤리학에 비해 인간의 도덕적 행위를 안내하는 도덕규범의 제시를 중시하며, 윤리학의 핵심 과제가 보편적 도덕 법칙을 규명하는 것이라고 본다. 따라서 (가)에 비해 (나)는 X에 대해서는 '낮음', Y와 Z에 대해서는 '높음'의 지점을 나타내게 된다.

정답찾기 ① X는 '낮음', Y는 '높음', Z는 '높음'이다. (가)에 비해 (나)는 도덕을 사실이 아닌 당위로 보기 때문에 도덕 현상에 대한 객관적 서술에 주력하기보다는 행위 구속력을 지닌 도덕규범의 제시를 중시하게 된다.

오답피하기 ② X는 '높음', Y는 '높음', Z는 '높음'이다. 도덕 현상에 대한 객관적 서술에 주력하는 것은 (나)보다 (가)이므로 X는 '높음'이 될 수 없다.

③ X는 '낮음', Y는 '높음', Z는 '낮음'이다. (나)는 윤리학이 보편적 도덕 법칙을 규명하는 데 주력해야 한다고 본다. 따라서 Z는 '낮음'이 될 수 없다.

④ X는 '높음', Y는 '높음', Z는 '낮음'이다. (나)는 도덕은 당위이기 때문에 도덕 현상에 대한 객관적 서술을 하기보다 인간이 지향해야 할 도덕 원리를 탐구하고자 한다. 따라서 X는 '높음', Z는 '낮음'이 될 수 없다.

⑤ X는 '높음', Y는 '낮음', Z는 '낮음'이다. (나)는 도덕이 행위 구속력을 지녀야 한다고 보기 때문에 도덕적 행위에 대한 객관적 서술보다 인간이면 누구나 지켜야 할 도덕규범의 제시를 중시하게 된다. 따라서 X는 '높음', Y는 '낮음'이 될 수 없다. 또한 (나)는 윤리학의 핵심 과제가 보편적 도덕 법칙에 대한 규명에 있다고 보므로 Z는 '낮음'이 아닌 '높음'이 되어야 한다.

2 죽음에 대한 장자와 플라톤의 입장 비교

문제분석 갑은 장자, 을은 플라톤이다. 장자는 기(氣)가 모여 태어나게 되고 기가 흩어지면 죽는다고 보았다. 이처럼 그는 삶과 죽음은 기의 변화에 의한 것이므로, 삶과 죽음을 분별의 대상으로 간주하지 말아야 한다고 주장하였다. 플라톤은 죽음을 통해 영혼이 육체의 감옥에서 벗어나 참된 인식을 할 수 있다고 보았다. 즉 그는 인간이 육체로부터 떠났을 때에야 오로지 영혼만을 사용하여 사물 그 자체를 볼 수 있다고 주장하였다.

정답찾기 ⑤ 장자는 삶과 죽음은 차별이 없으므로 죽음 앞에서 슬퍼할 필요가 없다고 보았다.

오답피하기 ① 장자는 삶과 죽음을 기의 모임과 흩어짐의 자연스러운 과정으로 보았다.

② 장자는 삶과 죽음을 같은 무리[徒]로 보아 분별의 대상으로 간주하지 말아야 한다고 보았다.

③ 플라톤은 죽음을 영혼이 육체로부터 해방되는 것으로 보았다.

④ 플라톤은 우리가 무언가를 순수하게 인식하려고 한다면, 자신을 육체로부터 자유롭게 해서 대상 자체를 영혼에 의해서만 바라보아야 한다고 보았다.

3 하버마스의 담론 윤리 이해

문제분석 (가) 사상가는 하버마스이다. 하버마스는 돈과 권력의 힘이 생활 세계에서의 담론에 영향을 미치는 것을 막아야 하며, 이를 위해 의사소통의 합리성이 공론의 장에서 실현되어야 함을 주장한다. 그는 의사소통의 합리성을 실현하기 위해서는 시민이라면 누구나 평등하게 담론에 참여할 수 있어야 한다고 본다. (나)는 기존 원자력 발전소의 폐쇄 여부를 둘러싼 사회적 갈등 상황이다.

정답찾기 ㄱ. 하버마스는 공정하고 합리적인 담론을 위해서는 각 이해 당사자들이 타당한 근거를 바탕에 둔 토론을 해야 한다고 본다.

ㄷ. 하버마스는 사회적 갈등을 해결하기 위해서는 상호 소통을 도모하는 공론의 장이 필요하다고 주장한다.

ㄹ. 하버마스는 규범이 타당하려면 '규범에 의해 영향을 받는 이해 당사자들이 그 규범을 일반적으로 준수할 때의 결과와 부작용을 모두가 수용할 수 있어야 한다.'는 보편성에 부합해야 한다고 본다. 따라서 담론에 참여하는 모든 이해 당사자들의 동의를 얻을 수 있는 도덕적 규범만이 타당하다고 본다.

오답피하기 ㄴ. 하버마스는 이성적으로 논의하는 능력을 지닌 시민이 사회 문제 해결에 적극 참여하는 주체가 되어야 함을 강조한다. 따라서 담론에 참여하여 논의하는 기회를 기술 공학자에게만 부여하는 것은 하버마스가 주장할 내용으로 적절하지 않다.

4 성차별에 대한 밀의 입장 파악

문제분석 제시문의 사상가는 "여성의 예속"이라는 책에서 남성과 동등한 여성의 권리를 주장한 밀이다. 밀은 여성 해방을 주장하며 남성에 의한 여성의 예속은 옳지 않을 뿐만 아니라 인류 발전을 저해한다고 주장하였다. 또한 남녀의 차이는 자연적 능력의 차이가 아닌 사회적 환경 요인에 의해 설명될 수 있다고 주장하였다.

정답찾기 ㄱ. 제시문에서 밀은 여성을 남성에게 전적으로 예속시키고 있는 현 제도를 옹호하는 견해는 단지 이론에 근거한 것으로, 인간 사회가 시작될 때부터 육체적 힘에 있어 강한 남성들이 열등한 모든 여성에게 부여한 가치 때문에 모든 여성들이 남성에의 예속 상태로 있게 된 것이라고 주장한다. 따라서 밀이 긍정의 대답을 할 질문이다.

ㄷ. 제시문에서 밀은 근육의 힘에 있어서 우세한 남성들이 근육의 힘에 있어서 열등한 모든 여성에게 부여한 가치 때문에 여성이 남성에게 예속 상태로 있게 된 것이라고 주장한다. 따라서 밀이 긍정의 대답을 할 질문이다.

오답피하기 ㄴ. 제시문에서 밀은 여성을 예속시키고 있는 불평등

한 제도의 선택은 인간의 이익을 증진시키고 선한 사회 질서를 세우는 데 이로운 것에 대한 관념의 결과가 아니라고 주장한다. 따라서 밀이 부정의 대답을 할 질문이다.

ㄹ. 제시문에서 밀은 남성의 여성 지배는 인간 사회의 여명기에서부터 근육의 힘에 의해 열등한 모든 여성에게 남성들이 부여한 가치 때문에 생겨난 것이라고 주장하고 있다. 그러므로 밀은 남성의 여성 지배가 남녀의 행복과 복지에 가장 이로운 양식으로 증명된 적이 없다고 볼 것이다. 따라서 밀이 부정의 대답을 할 질문이다.

5 전통적인 효의 실천 방법에 대한 이해

문제분석 노트 필기는 전통적인 효의 실천 방법에 대하여 정리한 것이다. 전통적인 효의 실천 방법으로는 불욕(不辱), 불감훼상(不敢毁傷), 혼정신성(昏定晨省), 양지(養志), 공대(恭待), 입신양명(立身揚名) 등이 있다.

정답찾기 ⑤ 입신양명은 효의 마침으로, 후세에 자신의 이름을 떨쳐 부모를 영광되게 해 드리는 것을 의미한다.

오답피하기 ① 불욕은 부모의 이름을 욕되지 않게 해드리는 것을 말한다.

② 불감훼상은 효의 시작으로 부모로부터 물려받은 몸을 깨끗하고 온전하게 하는 것을 말한다.

③ 양지는 부모의 뜻을 헤아려 실천함으로써 부모를 기쁘게 해 드리는 것을 말한다.

④ 공대는 표정을 항상 부드럽게 하여 부모가 편안한 마음을 지닐 수 있도록 해 드리는 것을 말한다.

6 환경 윤리의 이론 비교

문제분석 갑은 아리스토텔레스, 을은 싱어, 병은 슈바이처이다. 아리스토텔레스는 이성을 지닌 인간이 다른 생명보다 고귀한 존재라고 본다. 싱어는 '이익 평등 고려의 원칙'에 근거해, 인간을 우대하고 쾌고 감수 능력을 지닌 동물을 차별하는 태도를 '종 차별주의(종 이기주의)'라고 비판한다. 슈바이처는 "생명을 유지하고 고양하는 것이 선이며, 생명을 파괴하고 훼손하는 것은 악이다."라고 하면서 생명 외경 사상을 주장한다.

정답찾기 ㄴ. 아리스토텔레스는 이성을 지닌 인간이 이성이 없는 동물보다 고귀한 존재라고 간주한다.

ㄷ. 슈바이처는 모든 생명이 내재적 가치를 지닌다고 보는 반면에, 싱어는 모든 생명체가 내재적 가치를 지닌다고 보지 않는다.

ㄹ. 슈바이처는 모든 생명이 살고자 하는 의지를 지니고 있으며 그 자체로 신성하다고 본다.

오답피하기 ㄱ. 아리스토텔레스의 입장으로 맞지만, 싱어와 슈바이처도 동의할 내용이다.

7 형벌에 대한 칸트, 베카리아, 루소의 입장 이해

문제분석 (가)의 갑은 칸트, 을은 베카리아, 병은 루소이다. 칸트는 범죄자가 마땅히 그에 상응하는 벌을 받아야 한다는 응보주의 관점에서 사형에 찬성하였다. 베카리아는 사형보다 종신 노역형이 형벌의 효과가 크다는 점에서 사형 제도를 반대하였다. 루소는 사

회 계약의 입장에서 구성원들의 생명권을 보호하기 위한 수단으로 사형 제도를 찬성하였다.

정답찾기 ③ 루소는 사회 계약에 따라 살인범에 대한 사형 제도에 대해 찬성하였다. 반면 베카리아는 사회 계약의 목적이 구성원의 생명 보존에 있다고 보고 사형 제도를 반대하였다. 따라서 루소는 베카리아에게 사형 제도가 사회 계약에 의해 구성원의 생명을 보호하는 수단이 될 수 있다는 점을 간과하고 있다고 비판할 수 있다.

오답피하기 ① 베카리아는 사형보다 종신 노역형이 범죄 예방에 효과가 크다고 보았다.
② 칸트는 형벌이 사적 판단에 따라 이루어지는 사적 보복의 수단이 아니라 공적 정의의 실현 수단이라고 보았다.
④ 루소는 형벌에 공익을 지향하는 일반 의지가 반영되어 있다고 보았다.
⑤ 칸트는 사형이 살인범의 인격을 존중해 주는 형벌이 될 수 있다고 보았다.

8 형벌에 대한 칸트와 벤담의 입장 이해

문제분석 갑은 칸트, 을은 벤담이다. 칸트는 응보주의적 입장에서 범죄에 상응하는 형벌을 내려야 한다는 입장을 취한다. 반면에 벤담은 형벌은 그 자체가 악이라는 점을 감안하여 범죄 예방이라는 형벌의 목적에 부합하게 적정한 정도로 내려져야 한다는 입장이다.

정답찾기 ㄱ. 칸트의 입장에만 해당한다. 칸트는 처벌은 결코 시민 사회를 위해서나 어떤 다른 선을 촉진하기 위한 한낱 수단으로서 가해져서는 안 된다고 보았다.
ㄴ. 칸트의 입장에만 해당한다. 칸트는 응보주의적 관점에서 잘못한 것에 상응하는 처벌을 해야 한다고 보았다.
ㄹ. 벤담의 입장에만 해당한다. 벤담은 처벌이 효과를 얻으려면 그 정도가 범죄로 얻는 이익보다는 커야 한다고 보았다.

오답피하기 ㄷ. 벤담의 입장에만 해당한다. 칸트는 처벌을 범죄 예방을 위한 것으로 보지 않는다.

9 기업의 사회적 책임에 대한 입장 파악

문제분석 (가)는 기업에 자선 목적의 기부를 허용하는 것은 잘못된 것이고, 기업이 주주 이익에 봉사하는 기관이어야 한다고 주장한다. 즉 (가)는 기업이 적극적으로 사회적 책임을 이행하는 것에 반대하고 오직 이윤 추구 활동에 전념해야 한다는 입장이다. 반면에 (나)는 기업이 사회와의 상호 작용 속에서 존속하는 개방 개체이므로 환경 보호, 인권 존중, 사회적 기부 강화 등의 사회적 책임 활동을 적극적으로 수행해야 한다고 주장한다.

정답찾기 ④ X축(기업 활동에서 이윤 추구 이외의 사회적 책임을 강조하는 정도)에 대해서 (나)가 (가)보다 높으므로 ㉡, ㉣, ㉤이 해당한다. Y축(사회 공익을 위한 기업의 자선 활동을 강조하는 정도)에 대해서는 (나)가 (가)보다 높으므로 ㉠, ㉡, ㉢, ㉣이 해당한다. Z축(기업 소유자와 투자자의 이익을 우선적으로 보장하려는 정도)에 대해서는 (나)가 (가)보다 낮으므로 ㉢, ㉣, ㉤이 해당한다. 결국 공통 지점은 ㉣이다.

10 해외 원조에 대한 노직, 롤스, 싱어의 입장 비교

문제분석 갑은 개인의 자유와 배타적 소유권을 강조하는 자유 지상주의자 노직이다. 노직은 원조를 의무가 아니라 자선으로 이해한다. 을은 롤스이다. 롤스는 불리한 여건으로 '고통받는 사회'를 '질서 정연한 사회'가 되도록 돕는 것을 원조의 목적으로 본다. 병은 싱어이다. 싱어는 공리주의와 이익의 동등한 고려 원칙을 중시하는 입장이다.

정답찾기 ② 배타적 소유권을 강조하는 노직은 원조를 의무의 관점에서 이해하는 싱어에게 개인에게 원조를 의무를 부과하는 것은 소유권을 침해하는 것임을 간과하고 있다고 비판할 것이다.

오답피하기 ① 자유 지상주의자인 노직은 부의 평준화를 추구하지 않는다.
③ 싱어는 절대 빈곤국에 대한 원조는 부유한 국가의 상대적인 빈곤을 줄이는 것보다 중요하다고 보는 입장이다.
④ 노직은 원조를 자선의 관점에서 이해한다.
⑤ 롤스는 '고통받는 사회'를 '질서 정연한 사회'가 되도록 돕는 것을 원조의 목적으로 본다.

정답과 해설

05 회 미니모의고사 본문 20~23쪽

| 1 ⑤ | 2 ② | 3 ③ | 4 ① | 5 ④ |
| 6 ⑤ | 7 ② | 8 ③ | 9 ① | 10 ② |

1 실천 윤리학과 기술 윤리학 비교

문제분석 (가)는 실천 윤리학, (나)는 기술 윤리학의 입장이다. 실천 윤리학은 현대 사회에서 제기되는 다양한 윤리 문제의 해결을 목표로 삼으며, 이를 위해 이론 규범 윤리학을 토대로 현실에서 적용 가능한 실천적 규범과 원칙을 탐구한다. 반면 기술 윤리학은 여러 문화권에서 행해지는 도덕적 관행을 문화적 사실로 보고, 도덕적인 현상과 문제를 객관적으로 관찰하여 명확하게 기술하고자 한다.

정답찾기 ⓜ 보편적인 도덕 원리를 탐구하여 올바른 삶의 방향을 제시하는 것을 윤리학의 주요 목표로 삼는 것은 이론 규범 윤리학이다. 기술 윤리학은 도덕적 현상을 객관적으로 관찰하여 기술할 것을 강조한다.

오답피하기 ㄱ 실천 윤리학은 생명 윤리, 성 윤리, 정보 윤리, 환경 윤리 등 구체적 삶의 상황에서 발생하는 윤리적 문제 해결에 관심을 가진다.
ㄴ 실천 윤리학은 현실에서의 윤리적 문제를 해결하기 위해 의학, 법학, 과학 등 다양한 학문 분야와의 연계를 강조한다.
ㄷ 기술 윤리학은 도덕적 관행이나 도덕적 행위를 가치 중립적으로 기술하는 것에 관심을 가진다.
ㄹ 기술 윤리학은 개인이나 사회가 수용하는 도덕적 신념이나 도덕 규범이 어떻게 형성되고, 어떤 방식으로 행위 결정에 영향을 미치는지에 대해 객관적으로 관찰하고자 한다.

2 요나스의 책임 윤리 이해

문제분석 제시문은 책임 윤리를 강조한 요나스의 주장이다. 요나스는 실제로 무엇을 보호해야 하는가를 알아내기 위해서 희망보다는 공포를 논의의 대상으로 삼아야 한다고 주장한다. 또한 인간만이 책임을 질 수 있는 능력을 지니고 있다고 강조한다.

정답찾기 ② 세 번째 관점에 대해 요나스는 책임을 질 수 있는 능력을 지니는 존재는 책임의 의무를 지니게 된다고 주장한다.
네 번째 관점에 대해 요나스는 현세대가 미래 세대에 대해 비호혜적 책임을 져야 한다고 주장한다.

오답피하기 첫 번째 관점에 대해 요나스는 도덕 철학이 미래의 희망보다는 공포를 논의의 대상으로 삼아야 한다고 주장한다.
두 번째 관점에 대해 요나스는 과학 기술의 발전을 완전히 포기해야 한다고 주장하지 않는다.

3 안락사에 대한 반대 논거 파악

문제분석 (가)는 자율적 주체인 환자의 죽음에 대한 선택권을 근거로 안락사를 인정할 것을 주장하고 있다.

정답찾기 ③ 논증 구조로 미루어 볼 때, 전제 ②에는 '안락사는 자율적 주체인 환자의 죽음에 대한 선택권이다.'가 적절하다. 따라서 이에 대한 직접적인 반대 논거로는 '극심한 고통 속 환자는 자율적 판단 능력이 결여되어 있다.'가 적절하다.

오답피하기 ① 문제의 핵심은 환자의 자율적 결정 또는 선택권에 관한 것이므로 직접적인 연관성이 없다.
②, ④, ⑤ 안락사의 인정 논거로 활용될 수 있다.

4 과학 기술의 가치 중립성에 대한 입장 비교

문제분석 갑은 과학 기술의 연구 목적 설정 및 연구 과정에서 가치 중립을 강조하는 입장이고, 을은 연구의 목적 설정부터 결과 활용까지 가치 판단이 필요하다는 입장이다.

정답찾기 ① 을은 과학 기술 연구의 사회적 영향력을 강조하며 과학 기술 연구의 모든 과정에서 가치 판단이 필요하다고 보고 있으므로 과학 기술의 가치 중립성을 강조하는 정도(X)는 낮고, 과학 기술 연구에서 사회적 영향력을 고려하는 정도(Y)는 높으며, 과학 기술 연구에 대한 윤리적 규제를 강조하는 정도(Z)는 높다.

5 혼례에 대한 유교의 입장 이해

문제분석 제시문은 "예기"의 '혼의' 편의 내용으로, 혼례란 서로 다른 성씨를 가진 사람들이 합하여 조상을 모시고 후세를 잇는 의례임을 말하고 있다. 그러한 혼례에서 중요한 것은 남녀의 분별을 바탕으로 부부간의 의를 세우는 일이다. 부부간의 의가 세워지면 다른 인간관계에서의 의도 있게 된다는 것이 제시문의 주장이라고 할 수 있다.

정답찾기 ④ 공경하고 삼가며 바르게 한 뒤에야 친하게 되는 것이 예의 근본정신임을 강조한다는 점에서 옳지 않은 진술이다.

오답피하기 ① 서로를 공경하고 삼가며 바르게 하는 것이 예의 정신임을 강조하는 내용에서 추론할 수 있다.
② 혼례란 그것으로써 후세를 잇는 일임을 주장하는 내용에서 추론할 수 있다.
③ 남녀의 구별이 이루어져야 부부의 의가 있게 된다는 내용에서 추론할 수 있다.
⑤ 부부간의 의가 있을 때 부자의 친함과 군신 간의 의가 성립한다는 내용에서 추론할 수 있다.

6 칸트, 테일러, 레오폴드의 환경 윤리 입장 이해

문제분석 갑은 칸트, 을은 테일러, 병은 레오폴드이다. 칸트는 동물에 대한 우리의 의무는 인간성 실현을 위한 간접적인 도덕적 의무에 불과하다고 본다. 테일러는 모든 생명체는 고유의 선(善)을 지니며, 인간이 자연에 대해 부여하는 가치와 무관하게 내재적 가치를 가지므로 도덕적으로 고려해야 한다고 본다. 레오폴드는 인간은 공동체의 정복자가 아니라 상호 의존적인 부분들로 이루어진 공동체의 한 구성원이며, 도덕 공동체의 범위를 식물, 동물, 토양, 물을 포함하는 대지로 확장시켜야 한다고 본다.

정답찾기 ㄴ. 테일러는 개체론, 레오폴드는 전체론적 관점을 취한다. 따라서 테일러는 '예', 레오폴드는 '아니요'라고 대답할 질문이다.

ㄷ. 테일러는 모든 생명의 내재적 가치를 인정한다. 따라서 쾌고 감수 능력을 지닌 존재도 내재적 가치를 지닌다고 본다.

ㄹ. 레오폴드는 인간이 '산처럼 생각하기'를 해야 한다고 하고, 단기적인 경제적 관점이나 인간 중심주의적 관점에서 자연의 가치를 평가하는 데 반대한다.

오답피하기 ㄱ. 칸트가 긍정의 대답을 할 질문이며, 테일러와 레오폴드도 동의할 내용이다.

7 사이버 폭력 행위에 대한 유교와 덕 윤리의 입장 이해

문제분석 갑은 인(仁)의 실천을 강조한 유교의 입장이고, 을은 공동체 구성원으로서의 인간의 삶에 관심을 가진 덕 윤리의 입장이다.

정답찾기 ② 갑, 을의 입장에서 공통적으로 제시할 조언이다. 유교와 덕 윤리에서는 함께 살아가는 사람들을 존중하고 배려할 것과 그러한 품성을 내면화할 것을 강조한다. 유교와 덕 윤리에서는 인간의 내면적 품성과 인성을 중시한다.

오답피하기 ①, ④ 의무론의 입장에서 제시할 조언이다.

③ 공리주의의 입장에서 제시할 조언이다.

⑤ 유교와 덕 윤리에서는 타인에 대한 공감을 중시한다.

8 노직, 롤스, 아리스토텔레스의 분배 정의론 비교

문제분석 갑은 노직, 을은 롤스, 병은 아리스토텔레스이다. 노직은 취득·양도·교정에서의 정의의 원리에 의해 소유물에 대한 권리를 부여받았다면 이는 정당한 것이라고 주장하였다. 롤스는 우대받을 수 있는 직책이나 지위는 누구나 접근 가능하도록 개방되어야 한다고 주장하였다. 아리스토텔레스는 분배적 정의를 실현하기 위해서는 각자의 가치에 비례하여 분배해야 한다고 주장하였다.

정답찾기 ㄴ. 롤스의 입장에만 해당하는 진술이다. 정의의 원칙을 세우기 위해 각자가 자유롭고 평등한 가상의 원초적 상황을 설정하는 것은 롤스만의 입장이다.

ㄹ. 노직, 롤스, 아리스토텔레스 모두의 입장에 해당하는 진술이다. 노직, 롤스, 아리스토텔레스는 사회적·경제적 불평등을 허용해도 분배적 정의가 실현될 수 있다고 보았다.

오답피하기 ㄱ. 노직은 최소 국가 이상의 포괄적 국가는 개인의 권리를 침해한다고 보았다.

ㄷ. 아리스토텔레스는 동등하지 못한 사람이 동등한 몫을 받게 되면 분쟁과 불평이 발생한다고 보았다.

9 다문화에 대한 다양한 입장 비교

문제분석 (가)의 갑은 동화주의, 을은 샐러드 볼 이론, 병은 국수 대접 이론의 입장이다. 동화주의 입장에서는 이주민이 출신국의 문화적 특성을 포기하고 주류 문화로 편입되어야 한다고 본다. 그러나 샐러드 볼 이론은 다양한 문화가 서로 대등하게 조화를 이루어야 한다고 강조하며, 주류 문화와 비주류 문화를 구분하지 않는다. 한편 국수 대접 이론은 주류 문화와 비주류 문화를 구분한 뒤, 주류 문화를 중심으로 비주류 문화와 공존할 것을 주장한다.

정답찾기 ① 갑은 이주민의 고유한 문화를 인정하지 않으며, 이주민들이 주류 사회에 동화되어야 한다고 주장한다. 따라서 을의 입

장에서 갑에게 제기할 수 있는 비판으로 적절하다.

오답피하기 ② 갑은 주류 문화를 중심으로 이주민의 문화를 흡수시켜야 사회적 유대가 증진되고 사회 통합이 이루어질 수 있다고 강조하고 있으므로 병이 갑에게 제기할 수 있는 비판의 내용으로 옳지 않다.

③ 병은 다문화의 공존을 위해 주류 문화를 중심으로 비주류 문화와 조화를 이루어야 한다고 주장하며, 주류 문화와 비주류 문화를 구분하고 있다.

④ 병은 주류 문화와 비주류 문화를 구분하면서 양자가 공존해야 한다고 보는 입장이므로, 이주민 문화의 고유성을 인정하고 있다.

⑤ 갑은 사회 통합과 결속력을 높이기 위해 단일한 문화 정체성 형성을 주장하고 있다.

10 분단 비용, 평화 비용, 통일 비용 이해

문제분석 제시문의 '나'는 통일은 민족의 역량을 강화하고 국제 정치적으로도 긍정적인 효과를 가져오며 분단 비용의 소멸과 경제적 편익을 증진시킨다고 본다. 이에 비해 '어떤 사람들'은 통일을 위해서는 막대한 양의 평화 비용과 통일 비용이 지출되기 때문에 통일을 반대하고 있다. '나'의 입장에서 '어떤 사람들'에게 제기할 수 있는 비판을 찾는 문항이다.

정답찾기 ㄱ. '어떤 사람들'은 평화 비용을 지출함으로써 분단 비용과 통일 비용을 감소시킬 수 있다는 점을 간과하고 있다.

ㄹ. '어떤 사람들'은 통일 비용이 비용 지출의 부정적인 면만 있는 것이 아니라 통일 후 남북 격차 해소 및 이질적 요소를 통합하는 데 기여할 수 있음을 간과하고 있다.

오답피하기 ㄴ. 분단 비용이 소모성 비용이다. 평화 비용은 소모성 비용이 아니라 경제적 실익(통일 비용 경감, 자본의 대북 투자)은 물론 사회·문화적 실익(냉전 극복, 공동체 회복, 국가 위상 제고)을 증진할 수 있는 비용이다.

ㄷ. 통일 비용은 체제 통합 비용이다. 통일 비용은 통일 후 남북 격차 해소 및 이질적 요소를 통합하기 위한 비용으로 통일에 따른 편익을 증진하기 위한 비용이다.

06회 미니모의고사

본문 24~27쪽

| 1 ② | 2 ④ | 3 ④ | 4 ⑤ | 5 ② |
| 6 ③ | 7 ④ | 8 ③ | 9 ② | 10 ① |

1 이론 규범 윤리학과 메타 윤리학 비교

문제분석 윤리학이 해야 할 것과 하지 말아야 할 것의 객관적 기준을 마련하고 올바른 삶의 유형을 제시해야 한다고 보는 것은 이론 규범 윤리학의 입장이다. 메타 윤리학은 도덕적 개념의 의미 분석을 윤리학의 주요 탐구 과제로 삼아야 한다고 본다.

정답찾기 ② 이론 규범 윤리학은 메타 윤리학에 대해 도덕 판단의 준거가 되는 규범 체계, 즉 도덕 원리와 도덕규범의 정립을 간과하고 있다고 비판할 수 있다.

오답피하기 ① 메타 윤리학은 도덕 추론 과정에 대한 타당성 검증을 강조한다.

③ 메타 윤리학은 도덕적 논의 과정에서 사용되는 도덕적 개념과 진술에 대한 의미 분석을 주요 탐구 과제로 삼는다.

④ 메타 윤리학은 윤리학의 학문적 성립 가능성 여부에 대해 탐구하고자 한다.

⑤ 도덕적 관행에 대한 경험적 탐구를 통해 어떤 사회 내에서 적용되는 도덕규범을 객관적으로 기술할 것을 강조하는 것은 기술 윤리학이다.

2 형벌에 대한 칸트와 베카리아의 입장 비교

문제분석 갑은 칸트, 을은 베카리아이다. 칸트는 응보주의적 관점에서 형벌의 필요성을 주장한 반면, 베카리아는 공리주의적 관점에서 형벌의 필요성을 주장하였다.

정답찾기 ④ 칸트와 베카리아가 긍정의 대답을 할 질문이다. 칸트와 베카리아는 모두 형벌은 범죄와 형벌 간에 비례 관계를 유지하면서 집행되어야 한다고 보았다.

오답피하기 ① 칸트는 긍정, 베카리아는 부정의 대답을 할 질문이다. 사형을 살인에 상응하는 보복을 위한 형벌로 정당하다고 본 것은 칸트만의 입장이다. 베카리아는 개인이 자신의 생명을 국가에 위임하지도 않았고, 사형 제도가 범죄 예방의 효과 측면에서 종신 노역형보다 떨어진다고 주장하며 사형 제도에 반대하였다.

② 칸트는 부정, 베카리아는 긍정의 대답을 할 질문이다. 형벌 시행의 목적을 사회적 이익의 증진으로 보는 것은 베카리아만의 입장이다.

③ 칸트가 부정의 대답을 할 질문이다. 칸트는 형벌을 범죄 행위에 상응하는 처벌을 목적으로 해야 한다고 주장하였다.

⑤ 베카리아가 긍정의 대답을 할 질문이다. 베카리아는 형벌의 지속성이 범죄 예방에 훨씬 더 효과적이라고 주장하면서, 종신 노역형이 사형보다 처벌의 사회적 효용이 높다고 주장하였다.

3 의료 윤리의 이해

문제분석 (가)의 갑은 자율성 존중의 원칙, 을은 의사의 온정적 간섭주의(부권주의)에 대해 주장하고 있다.

정답찾기 ㄱ. 환자의 결정권을 우선하는 자율성 존중의 원칙은 의사에 의한 온정적 간섭주의를 인정하지 않으므로 갑만의 입장에 해당한다.

ㄷ. 갑, 을 모두 환자의 자율적 선택을 존중하고 있다.

ㄹ. 을은 의사가 환자의 이익을 위해 환자의 자발적 거부 의사에도 불구하고 의사로서의 적극적 선행의 의무를 이행하기 위해 의료적 간섭을 할 수 있다고 본다.

오답피하기 ㄴ. 갑은 자율성 존중의 원칙을, 을은 온정적 간섭주의를 주장하고 있다.

4 정보 공유론과 정보 사유론 입장 이해

문제분석 갑은 정보 공유론의 입장이고, 을은 정보 사유론의 입장이다.

정답찾기 ㄴ. 갑은 긍정, 을은 부정의 대답을 할 질문이다.

ㄷ. 갑이 긍정의 대답을 할 질문이다.

ㄹ. 을이 긍정의 대답을 할 질문이다.

오답피하기 ㄱ. 갑은 긍정, 을은 부정의 대답을 할 질문이다. A에는 갑, 을 모두 긍정의 대답을 할 질문이 들어가야 한다.

5 싱어, 테일러, 레건의 환경 윤리 입장 비교

문제분석 (가)의 갑은 싱어, 을은 테일러, 병은 레건이다. 싱어는 쾌고 감수 능력을 지닌 모든 존재의 이익을 평등하게 고려해야 한다고 보았다. 테일러는 모든 생명체가 고유의 선을 지니며 내재적 가치를 지니므로 모든 생명체를 도덕적으로 고려해야 한다고 보았다. 레건은 일부 포유동물이 삶의 주체로서 도덕적 권리를 갖는다고 보았다.

정답찾기 ㄴ. 레건은 싱어와 달리 삶의 주체인 동물의 복리(福利)를 고려하기 위해서는 쾌고 감수 능력 이외에 기억, 지각, 자기의식, 의도, 미래에 대한 감각 등의 특성이 요구된다고 주장하였다.

ㄷ. 테일러는 싱어, 레건과 달리 인간은 생명체에 끼친 해악에 대한 보상적 정의의 의무를 지닌다고 주장하였다.

오답피하기 ㄱ. 싱어, 테일러는 모두 종(種)의 차이만으로 도덕적 지위에 차별을 두어서는 안 된다고 주장하였다.

ㄹ. 레건은 성장한 포유 동물이 인간의 이익을 위한 자원으로 대우받아서는 안 된다고 주장하였다.

6 행위 공리주의와 규칙 공리주의 비교

문제분석 갑은 어떤 행위가 최대의 유용성을 낳는가를 중시하는 행위 공리주의의 입장이다. 을은 어떤 규칙이 최대의 유용성을 낳는가를 중시하는 규칙 공리주의의 입장이다. 행위 공리주의는 최선의 결과를 가져오는 행위가 옳은 행위가 된다고 본다. 반면에 규칙 공리주의는 공리의 원리를 행위가 아닌 대안이 되는 규칙들에 적용하여 최대의 기대 효용을 갖는 공리주의적 규칙을 채택한 다음, 개별 행위가 그 규칙에 따를 때 옳은 행위가 된다고 본다.

정답찾기 ③ 행위 공리주의와 규칙 공리주의 모두 유용성의 원리를 긍정하기 때문에 옳은 행위의 판단 기준은 결국 유용성이라고 할 수 있다.

오답피하기 ① 행위 공리주의와 규칙 공리주의 모두 공리주의 사상이기 때문에 행위의 동기보다 결과를 중시한다.
② 선의지에 따라 행위 해야 한다고 보는 사상가는 의무론적 윤리를 주장한 칸트이다.
④ 행위 공리주의와 규칙 공리주의 모두 공리주의 사상이기 때문에 자신의 행동이 타인에게 미칠 결과를 고려해야 한다고 본다.
⑤ 공리를 극대화할 가능성이 가장 큰 규칙에 따른 행위만을 옳은 행위로 파악하는 것은 규칙 공리주의이다.

7 플라톤과 순자의 예술관 이해

문제분석 갑은 플라톤, 을은 순자이다. 플라톤은 예술이 사람의 품성 형성에 영향을 미친다고 보았고, 순자는 음악을 통해 백성을 바르게 이끌어야 한다고 보았다. 이러한 두 사상가의 주장은 도덕주의에 해당한다.

정답찾기 ㄴ. 순자는 훌륭한 음악을 제작하여 백성을 바르게 이끌어야 한다고 보았다. 이를 통해 순자가 예술을 도덕적 교화의 도구로 삼았음을 추론할 수 있다.
ㄹ. 플라톤과 순자는 도덕주의자로서 예술이 도덕적 품성 함양을 목적으로 해야 한다고 본다.

오답피하기 ㄱ. 예술과 도덕이 무관하다고 보는 것은 심미주의의 입장이다.
ㄷ. 예술이 윤리적 기준이나 사회적 관습으로부터 자유로워야 한다고 보는 것은 심미주의의 입장이다.

8 시민 불복종에 대한 롤스와 소로의 입장 이해

문제분석 갑은 롤스, 을은 소로이다. 롤스는 시민 불복종을 거의 정의로운 사회에서 일어나고 법이나 정부의 정책에 변혁을 가져올 목적으로 이루어지는 공공적이고 비폭력적이며 양심적이기는 하지만 법에 반하는 정치적 행위라고 규정한다. 그는 시민 불복종은 성격상 법에 대한 충실성의 한계 내에서 이루어지는 법에 대한 불복종이므로 공개적이고 비폭력적인 방식으로 이루어져야 한다고 주장한다. 소로는 개인의 양심에 근거하여 정의에 위배되는 법에 대한 저항을 강조한다.

정답찾기 ㄷ. 롤스는 공유된 정의관에, 소로는 개인의 양심에 근거하여 시민 불복종을 정당화한다.
ㄹ. 롤스와 소로는 정부의 정책이나 법은 정의라는 상위의 가치에 합당해야 한다고 보며, 법이 정의에 위배될 경우 시민 불복종이 가능하다고 본다.

오답피하기 ㄱ. 롤스는 공유된 정의관의 변화가 아니라 법이나 정책의 변화를 도모하는 것이 시민 불복종이라고 본다.
ㄴ. 소로는 양심과 정의에 위배되는 법에 대한 의도적 위반이 시민 불복종이라고 본다.

9 해외 원조에 대한 롤스의 입장 이해

문제분석 (가)를 주장한 사상가는 롤스이다. 그는 인권이 보장되고 민주적 의사 결정이 이루어지는 '질서 정연한 사회'가 그렇지 못한 '고통받는 사회'를 돕는 것을 의무로 보았다. 그는 해외 원조의 목적을 모든 인류의 복지 수준을 향상시키는 것에 두지 않았으며, 정의론에서 주장한 차등의 원칙을 지구적 차원에서는 적용하지 않았다. (나)의 ㉠에 들어갈 말은 '해외 원조'이다. 따라서 롤스의 입장에서 해외 원조에 대해 설명한 내용으로 옳은 것을 고르면 된다.

정답찾기 ㄱ. 롤스는 해외 원조의 궁극적 목적을 고통받는 사회를 자유와 평등이 보장되는 민주적 질서를 갖춘 사회가 되도록 하는 것이라고 보았다.
ㄹ. 롤스는 해외 원조는 부의 불평등 개선이 목적이 아니기 때문에 사회 정의 실현이 가능한 적정 수준의 정부가 들어서면 중단되어야 한다고 보았다.

오답피하기 ㄴ. 롤스는 해외 원조를 자율적 선택이 아닌 의무라고 보았다.
ㄷ. 롤스는 국가 간 천연자원 분포의 우연성을 조정하여 자원을 재분배해야 한다고 보지 않았다.

10 다문화 모형에 대한 입장 파악

문제분석 (가)는 샐러드 그릇 모형, (나)는 용광로 모형이다. 샐러드 그릇 모형은 다른 맛을 가진 채소와 과일들이 조화를 이루어 샐러드를 만들듯이 다양한 문화들이 상호 공존하면서 각각의 색깔을 지니면서도 조화를 이룰 수 있다고 본다. 용광로 모형은 이민자가 출신국의 언어, 문화, 사회적 특성을 포기하고 주류 사회의 일원으로 편입되어야 한다고 본다.

정답찾기 ① (가)의 입장에 비해 (나)의 입장은 '다양한 문화들의 상호 공존을 강조하는 정도(X)'는 낮고, '이민자 문화의 문화 정체성 포기를 강조하는 정도(Y)'는 높으며, '문화 단일성 논리에 따라 문화를 바라볼 것을 강조하는 정도(Z)'도 높다. 따라서 (나)의 특징을 나타내는 적절한 위치는 ㉠이다.

07회 미니모의고사

| 1 ③ | 2 ④ | 3 ② | 4 ⑤ | 5 ③ |
| 6 ① | 7 ⑤ | 8 ① | 9 ② | 10 ③ |

1 실천 윤리학 이해

문제분석 실천 윤리학의 영역에는 생명, 성(性), 정보, 환경, 사회, 문화, 평화 윤리 등이 있으며, 제시문은 환경 윤리와 관련된 세대 간 윤리 문제를 다루고 있다.

정답찾기 ③ 실천 윤리학은 우리 삶의 다양하고 구체적인 영역들에서 발생하는 윤리 문제들에 대해 적절한 윤리 이론을 적용함으로써 그러한 문제들을 해결하고자 시도한다.

오답피하기 ① 제시문은 윤리학의 주요 과제가 구체적인 윤리 주제들에서 나타나는 가치 갈등을 해결하기 위해 이론 윤리를 토대로 현실에 적용할 수 있는 실천적 규범 원리를 탐구하고 해결책을 모색하는 것이라고 주장함으로써 실천 규범 윤리학임을 명시하고 있다.
② 주로 메타 윤리학에서 강조하는 내용이다.
④ 주로 기술 윤리학에서 강조하는 내용이다.
⑤ 도덕적 언어의 의미 분석을 주요 과제로 삼는 것은 메타 윤리학의 입장이다.

2 동화주의와 다문화주의 비교

문제분석 갑은 동화주의의 입장이다. 이주민 문화와 같은 비주류 문화가 주류 문화에 적응하고 통합될 수 있도록 하는 태도를 동화주의라고 한다. 을은 다문화주의의 입장이다. 민족이나 문화의 다양성을 인정하고 고유한 문화를 유지할 수 있도록 노력하는 태도를 다문화주의라고 한다. 따라서 갑의 경우 비주류 문화를 주류 문화와 조화시키는 입장이며, 을의 경우 각 문화의 정체성을 보존시키는 입장에 해당한다.

정답찾기 ④ 소수 민족의 문화를 주류 문화에 포함시키려고 하는 것은 동화주의 입장에 해당하므로 다양한 문화를 존중하는 다문화주의의 입장에서 할 수 있는 비판이다.

오답피하기 ① 소수 문화의 정체성을 바탕으로 기존 문화를 변화시키는 입장은 동화주의와 다문화주의 모두에 해당하지 않는다.
② 을이 주장하는 다문화주의는 특정 관점에서 서로 다른 문화적 전통을 차별하지 않으므로 갑의 입장에서 을에 대해 제시할 수 있는 비판으로 볼 수 없다.
③ 갑은 기존 사회의 문화적 전통을 중요하게 여기고 이민자들이 기존 사회의 질서에 편입되어야 한다고 강조하므로 모든 문화적 전통을 허용해야 한다고 보지 않는다.
⑤ 을이 주장하는 다문화주의는 한 사회 내에서 여러 민족의 문화들을 존중하고 보존하자는 입장이다. 따라서 비판 내용이 을의 주장과 다르므로 을의 입장에서 갑에 대해 제시할 수 있는 비판으로 볼 수 없다.

3 과학자의 내적·외적 책임 이해

문제분석 갑은 과학자의 책임이란 자신이 발견한 과학적 사실에 대한 객관적이고 공정한 공표에만 한정된다고 보는 데 비해, 을은 이러한 내적 책임에 더하여 과학적 지식의 사회·정치적 활용 및 영향에 대한 외적 책임까지 주장하고 있다.

정답찾기 ② 갑, 을 모두 과학적 사실의 관찰과 발견에서 위조나 변조 같은 주관적 견해나 가치가 개입되어서는 안 된다고 주장한다.

오답피하기 ① 갑은 과학자에게는 자신이 연구를 통해 발견한 과학적 사실을 거짓 없이 공표할 책무만이 있다고 주장한다.
③ 과학적 지식이 정치적 목적이나 이해관계에 따라 이용될 때 이에 대한 사회적 책무까지 강조하는 것은 을만의 입장이다.
④ 을은 갑과 마찬가지로 과학자의 내적 책임에 동의하기 때문에 자연적 사실 판단에 대해 도덕적·정치적 이념이 개입하는 것을 부정한다.
⑤ 을은 과학에 대한 연구자로서의 내적 책임과 사회적 책임을 함께 강조하고 있다.

4 레건의 동물 권리와 레오폴드의 땅(대지)의 윤리 이해

문제분석 갑은 동물의 권리를 주장한 레건이고, 을은 땅(대지)의 윤리를 주장한 레오폴드이다.

정답찾기 ⑩ 을은 갑에 비해 공동체의 경계를 넓게 확장하고 있으며, 갑은 삶의 주체인 일부 동물에 대한 도덕적 권리를 주장하고 있다. 레건은 생태 중심주의적 환경관에 대해 생태(환경) 파시즘이라고 비판한다.

오답피하기 ㉠ 레건의 '동물 권리론'에 대한 적절한 설명이다.
㉡ 땅(대지)의 윤리는 공동체의 경계를 대지로 확장하는 전일주의적 관점을 채택하고 있다.
㉢ 레건은 삶의 주체인 동물에 대해 내재적 가치를 주장한다.
㉣ 레오폴드의 땅(대지)의 윤리에 대한 적절한 설명이다.

5 노직, 롤스, 아리스토텔레스의 분배 정의론 비교

문제분석 갑은 노직, 을은 롤스, 병은 아리스토텔레스이다. 노직은 취득·양도·교정에서의 정의의 원리를 제시하면서 이러한 원리에 의해 소유물에 대한 권리를 부여받았다면 이는 정당한 것이라고 주장한다. 롤스는 공정한 분배를 위하여 정의의 제2원칙인 공정한 기회균등의 원칙과 차등의 원칙을 제시한다. 아리스토텔레스는 분배적 정의를 실현하기 위해서는 각자의 가치에 비례하여 분배해야 한다고 주장한다.

정답찾기 ㄷ. 롤스는 정의로운 사회가 실현되기 위해서는 자유롭고 평등한 사람들의 협력이 필요하다고 보았다.
ㄹ. 아리스토텔레스는 분배적 정의가 시민들 사이에 분배되는 권력, 명예, 재화와 관련된 것으로 그 분배는 각 사람이 지닌 가치에 비례하여 이루어져야 한다고 주장한다.

오답피하기 ㄱ. 사유 재산을 소유할 권리를 기본적 권리로 승인할 수 있다는 입장은 노직뿐만 아니라 롤스의 입장이기도 하다.
ㄴ. 롤스는 사회적 효용을 위한다는 명목으로 소수의 기본적 자유를 침해하는 행위는 정의롭지 않다고 주장한다.

6 예술에 대한 다양한 관점 비교

문제분석 (가)는 순자의 예악론(禮樂論)이고, (나)는 묵자의 비악론(非樂論)이다. 순자는 예와 악은 불가분의 관계에 있는 것으로서 겉으로 드러나는 예가 바르기 위해서는 음악을 통해 내면의 마음을 고르게 해야 한다고 주장하며, 음악이 인간의 도덕성에 기여해야 한다고 본다. 반면 묵자는 사치를 위한 음악이나 음악 자체만을 좋아하는 것은 큰 손해를 가져올 수 있다고 주장한다.

정답찾기 ① 순자는 예악이 절제, 조화 등과 같은 도덕적 덕을 실천하는 데 도움을 준다고 본다.

오답피하기 ② (가)는 예술이 예를 바르게 드러내도록 돕는 것이므로 예술을 허례허식이라고 보지 않는다.

③ (나)는 예술이 재물의 낭비를 가져올 수 있다고 비판하고 있다.

④ (나)에서는 예로 인해 낭비와 사치가 발생할 가능성에 대해 경계하고 있다. 따라서 예가 지니는 그 자체의 내재적 가치만을 중시한다고 볼 수 없다.

⑤ (나)는 예술의 사회적 영향력에 대해 유용성의 관점에서 숙고해야 한다고 본다.

7 칸트의 사상적 입장 파악

문제분석 칸트는 선의지를 따르려는 의무 의식에서 나온 행위만이 도덕적이라고 보았다. 칸트에게 선의지란 이를 발휘하도록 만드는 다른 동기에 의해서나 혹은 행위의 예상되는 결과에 따라 선한 것으로 여겨지는 것이 아니고, 단지 선하려고 한다는 그 이유만으로 선한 것이다.

정답찾기 ⑤ 칸트는 자연적 경향성에 따른 행위는 도덕적 가치를 지니지 못한다고 보므로 자연적 경향성을 극복하고 오로지 의무 의식에 따라 행동했기 때문에 K 씨의 행동을 도덕적이라고 할 것이다.

오답피하기 ① 칸트는 도덕적 명령을 신의 명령으로 이해하지 않는다.

② 칸트는 행위의 결과가 아닌 행위 자체의 도덕성을 중시한다. 따라서 칸트는 모두의 행복을 극대화시켰음을 근거로 행위에 도덕적 가치가 있다고 보지 않는다.

③ 칸트에게 행위의 도덕성은 행위자의 성품이 아닌 선의지에서 나온다.

④ 칸트에 따르면 동정심이나 감정에서 비롯된 행위는 도덕적 가치를 갖지 못한다.

8 적극적 우대 조치에 대한 입장 비교

문제분석 갑은 평등 실현의 차원에서 적극적 우대 조치를 주장하고 있으며, 을은 사회적 유용성 차원에서 적극적 우대 조치를 지지하고 있다.

정답찾기 ① '적극적 우대 조치는 부와 권력을 이미 소유했던 집단으로부터 다른 집단으로 그것을 이전시키는 방법'이라는 내용에서 추론할 수 있다.

오답피하기 ② 갑은 적극적 우대 조치를 평등을 실현하기 위한 수단으로 본다.

③ 을은 공리주의적 관점에서 적극적 우대 조치가 사회에 큰 효용

을 가져온다고 주장하고 있다.

④ 을은 적극적 우대 조치가 사회적 긴장을 완화시킨다고 주장한다.

⑤ 갑은 평등을 중시하면서 적극적 우대 조치를 지지하고 있다.

9 해외 원조에 대한 롤스의 입장 이해

문제분석 제시문은 해외 원조를 의무의 관점에서 파악하는 롤스의 입장이다. 롤스는 해외 원조의 목적을 경제적인 빈곤을 벗어나는 데 두지 않고 고통받는 사회를 질서 정연한 사회로 만드는 데 있다고 본다.

정답찾기 ② 롤스는 원조를 고통받는 사회를 질서 정연한 사회로 만들기 위해 의무로 부과되는 것이라고 보았다. 따라서 롤스에게 원조의 목적은 사회적 자유와 평등을 확립하는 것이라고 말할 수 있다.

오답피하기 ① 롤스는 원조의 목적을 원조받는 모든 사회의 동등한 복지 수준의 실현에 두지 않았다. 그는 질서 정연한 사회를 만들어 가기 위해 원조를 해야 한다고 보았다.

③ 롤스는 원조의 목적을 전 지구적 경제 불평등의 해소에 두지 않았다. 또한 차등의 원칙 실현을 원조의 목표로 삼지 않았다.

④ 싱어의 입장이다. 싱어는 해외 원조를 의무의 차원에서 접근하였고, 어떤 사회에 사는 사람인지를 구분하지 말고 빈곤으로 인해 고통받는 모든 사람이 원조의 대상이 되어야 한다고 보았다.

⑤ 롤스는 최소 수혜자의 처지를 개선하기 위한 것을 원조의 목적이나 핵심 과제로 보지 않았다.

10 분배 정의에 대한 노직과 롤스의 견해 비교

문제분석 갑은 노직, 을은 롤스이다. 노직은 정의의 기준은 개인이 자신의 소유물에 대한 정당한 소유 자격을 갖고 있는가에 있다고 주장한다. 그는 재분배를 통해 분배 정의를 실현하고자 하는 것은 정당한 소유권을 침해하는 것이라고 본다. 롤스는 원초적 입장에서 합의한 정의의 원칙에는 최소 수혜자의 최대 이익이 보장될 때에만 불평등이 인정될 수 있다는 내용이 포함되어 있음을 근거로 국가의 재분배 정책을 지지한다.

정답찾기 ㄴ. 노직에 따르면 부의 재분배 기능을 갖는 확대 국가는 개인의 자유로운 교환과 소유물에 대한 개인의 소유권을 침해할 수 있다.

ㄷ. 롤스는 타고난 재능과 같은 자연적 우연성의 발휘는 사회 구성원 전체의 이익에 기여할 수 있어야 한다고 주장한다.

오답피하기 ㄱ. 노직은 소유권의 절대적 보장이 경제적 불평등 시정을 위한 것이라고 주장하지 않는다.

ㄹ. 롤스에 따르면 원초적 입장에서의 각 사람들은 상대방에 무관심한 합리적 이기주의자들이다.

08회 미니모의고사
본문 32~34쪽

| 1 ② | 2 ③ | 3 ③ | 4 ④ | 5 ① |
| 6 ④ | 7 ⑤ | 8 ② | 9 ① | 10 ④ |

1 이론 규범 윤리학과 실천 윤리학 비교

문제분석 (가)는 이론 규범 윤리학이고, (나)는 실천 윤리학이다. 이론 규범 윤리학은 모든 도덕 행위자에게 타당한 도덕규범의 일관된 체계를 구성하는 것을 윤리학의 과제로 삼는다. 실천 윤리학은 구체적인 삶의 영역에서 발생하는 실제적 도덕 문제를 해결하는 것을 윤리학의 과제로 삼는다.

정답찾기 ㄱ. 이론 규범 윤리학은 행위와 제도의 가치 판단을 위한 이론적 근거를 탐구한다. 따라서 이론 규범 윤리학의 주요 탐구 과제는 개인과 집단이 행동 지침으로 삼을 수 있는 옳은 행동에 대한 원리를 정립하는 것이다.

ㄹ. 실천 윤리학에 대한 설명이다. 실천 윤리학은 도덕 원리에 대한 탐구를 토대로 도덕 문제에 대한 해결 방안의 제시를 중시한다.

오답피하기 ㄴ. 윤리학의 본질이 도덕적 논의의 의미론적·논리적 구조를 분명하게 밝히는 것에 있다고 보는 것은 메타 윤리학이다.

ㄷ. 옳음의 기준을 제시하는 것이 아니라 그 의미를 분석하는 것에 주력해야 한다고 보는 것은 메타 윤리학이다.

2 원조에 관한 노직, 싱어, 롤스의 입장 비교

문제분석 갑은 원조를 소유 권리론에 기초해 이해하는 노직, 을은 세계 시민주의적 관점에서 이해하는 싱어, 병은 국제주의적 관점에서 이해하는 롤스이다.

정답찾기 ㄴ. 싱어는 원조를 공리주의와 세계 시민주의적 관점에서 이해한다.

ㄹ. 롤스는 원조의 목적을 불리한 여건으로 고통을 겪고 있는 사회가 자신의 문제들을 합당하게 합리적으로 관리할 수 있도록 도와주는 것이라고 본다. 그에게 원조의 목적은 고통을 겪고 있는 사회들이 자유적 사회로서 인권(자유, 평등)을 확립하는 것이다.

오답피하기 ㄱ. 노직은 자유 지상주의자로서 소유에 관한 절대적 권리를 정의로 이해한다. 따라서 원조를 경제·사회적 불평등을 조정하는 분배 정의의 실현으로 이해하지 않는다.

ㄷ. 싱어는 개인, 국가, 국제 사회의 구성원 모두가 원조에 대해 적극적이어야 한다고 주장한다.

3 에피쿠로스의 죽음관 이해

문제분석 제시문의 사상가는 에피쿠로스이다. 그는 신(神)과 죽음이 유한한 인간의 즐거운 삶에 아무런 영향을 미칠 수 없음을 깨달아야 한다고 주장했다.

정답찾기 ③ 에피쿠로스는 죽음을 인간의 감각 능력의 상실로 받아들이게 하여 죽음이나 신, 불멸성에 대한 믿음으로 인해 생길 수 있는 두려움으로부터 우리를 자유롭게 해 주고자 했다.

오답피하기 ① 죽음을 수용하는 주체적 결단을 통해 참된 실존의

회복을 주장한 사상가는 하이데거이다.

② 죽음을 원인과 결과에 의한 윤회의 과정과 관련지어 이해하는 사상은 불교이다.

④ 에피쿠로스는 내세에서의 영원한 삶이 아니라 현세에서의 즐거운 삶, 즉 행복한 삶을 주장했다.

⑤ 죽음에 관한 플라톤의 입장이다.

4 정보 리터러시의 개념 이해

문제분석 제시문은 정보 리터러시 개념을 설명하고 있다. 정보 리터러시는 정보 활용 능력을 말한다. 개인 간 정보 활용 능력의 차이는 정보 격차를 불러온다. ㉠에는 정보 활용 능력을 증진하는 방안이나 요구에 대한 내용이 진술되어야 한다.

정답찾기 ㄱ. 정보 활용 능력을 능동적으로 키우는 노력은 정보 리터러시를 증진하는 데 도움이 될 것이다.

ㄴ. 정보를 검색, 수집, 평가, 사용할 수 있는 능력을 기르는 것은 정보 리터러시를 증진하는 데 도움이 될 것이다.

ㄷ. 필요한 정보를 검색하고 선택하는 것은 정보 리터러시를 증진하는 방안이 된다.

오답피하기 ㄹ. 제시문에서는 정보 리터러시를 정보의 이해 능력과 활용으로 규정하였다. 따라서 '모든 정보를 비판 없이 수용하여 정보 생산 능력을 키워야 한다.'는 ㉠에 들어갈 내용으로 적절하지 않다.

5 요나스의 책임 윤리 이해

문제분석 제시문은 요나스의 책임 윤리에 관한 것으로, 첫 번째 문장은 그의 새로운 정언 명령이고, 두 번째 문장은 그의 생명에 대한 목적론적 관점을 표현하고 있다.

정답찾기 ① 요나스는 책임 윤리의 이념적 근거를 호혜성이 아닌 비호혜성에 둔다.

오답피하기 ②, ③ 요나스는 생명체의 자기 목적성은 다른 어떤 정당화를 필요로 하지 않는 고유한 가치를 지닌다고 주장한다.

④ 요나스는 책임 윤리를 통해 현세대는 미래 세대에 대해 허구적 동시성을 근거로 유대와 공감의 태도를 지녀야 한다고 주장한다.

⑤ 요나스는 생명체로서의 존재가 책임의 전제 조건이라고 주장한다.

6 형벌에 대한 다양한 입장 비교

문제분석 갑은 베카리아, 을은 칸트, 병은 벤담이다. 베카리아는 개인이 자신의 생명을 국가에 위임하지 않았고, 국가도 개인의 생명을 빼앗을 권리가 없다고 하면서 사형 제도의 폐지를 주장하였다. 칸트는 형벌의 본질은 응보에 있으며, 응보주의에 바탕을 둔 사형은 인간을 다른 목적을 위한 수단으로 취급하는 것이 아니라고 주장하였다. 벤담은 형벌과 위법 행위 간에는 비례의 규칙이 성립해야 한다고 보아 형벌의 정도는 위법 행위에서 얻는 이득의 가치를 능가하기에 충분한 것이어야 하며, 이러한 비례의 규칙은 공리의 원리에 근거해야 한다고 주장하였다.

정답찾기 ㄱ. 베카리아에게만 해당되는 진술이다. 칸트는 사형이

필요하다고 보았고, 벤담은 형벌은 그 자체로 악이나 공리성의 원리에 의거하여 더욱 큰 어떤 악을 없애는 것이 보장된다면 사형까지도 허용될 수 있다고 보았다.

ㄴ. 칸트에게만 해당되는 진술이다. 칸트에게 있어서의 형벌은 응보이다. 반면 베카리아와 벤담에게 있어서의 형벌은 다른 선을 실현하기 위한 수단으로 사용 가능하다.

ㄹ. 베카리아와 벤담에게만 해당되는 진술이다. 베카리아와 벤담에게 있어서의 형벌은 공리의 원리에 근거한다.

오답피하기 ㄷ. 칸트에게 해당되지 않는 진술이다. 칸트에게 있어서의 형벌의 본질은 범죄자가 범죄를 저질렀다는 이유만으로 범죄에 상응하는 형벌을 내리는 응보이다.

7 청교도와 마르크스의 직업 노동 비교

문제분석 갑은 베버이고, 을은 마르크스이다. 베버는 "프로테스탄티즘의 윤리와 자본주의 정신"에서 근면과 금욕을 강조하는 프로테스탄트 윤리가 자본주의 정신의 토대가 되었다고 설명했으며, 마르크스는 자본주의 사회에서 자본이 통제하는 기계에 예속된 분업화된 노동을 비판하였다.

정답찾기 ⑤ 마르크스는 직업 노동을 내세의 참되고 영원한 행복과 관련지어 주장하지 않는다.

오답피하기 ① 베버는 청교도의 금욕적 생활 방식과 합리적 노동을 신의 영광을 더하기 위한 활동으로 이해한다.

② 베버는 청교도가 규칙적인 직업 노동에 의한 이윤 추구와 금욕적 삶을 신의 명령을 수행함으로써 신의 영광을 높이기 위한 방법으로 이해했다고 본다.

③ 마르크스는 노동을 인간의 고유한 본질로 본다.

④ 마르크스는 자본이 통제하는 기계에 예속된 노동 분업으로 인해 노동자의 소외가 더욱 심화된다고 비판한다.

8 합리적 소비와 윤리적 소비 비교

문제분석 갑의 입장은 합리적 소비에 해당한다. 가장 적은 돈을 소비하여 가장 활용 가치가 큰 물건을 선택하는 것은 소비 기준을 효율성으로 생각한다는 의미이다. 반면 을의 입장은 윤리적 소비에 해당한다. 소비를 할 때 상품, 서비스의 생산과 유통의 전 과정에 대해 윤리적 가치 판단을 내리고 선택하는 과정을 중시한다.

정답찾기 ② 갑은 경제력의 범위 안에서 소비하는 행위가 합리적이라고 보고 있다. 따라서 갑의 입장에 해당하지 않는다.

오답피하기 ① 갑은 합리적인 소비를 통해 욕구를 충족하려면 기본적으로 이성적 판단이 바탕이 되어야 한다고 본다.

③ 을은 윤리적 소비의 입장에 해당한다. 제시문에 따르면 을은 경제 활동이 사회에 미치는 영향력이 크다고 보므로 소비 과정이 사회 정의 실현에 기여할 수 있다고 주장할 것이다.

④ 을은 윤리적 소비의 입장으로서 약소국의 인권을 침해하는 상품을 도덕적 판단을 통해 사지 않아야 한다고 주장할 것이다.

⑤ 갑은 투자 대비 산출 가치의 최대화를 강조하는 합리적 소비를, 을은 타인이나 공동체를 고려하는 도덕적 가치를 중시하고 있다.

9 엘리아데의 종교관 이해

문제분석 제시문은 종교학자인 엘리아데의 주장이다. 엘리아데는 성은 세속과 떨어져 고립되어 있는 것이 아니며, 현실 세계에 들어와 우리의 체험 대상이 된다고 본다.

정답찾기 ㄱ. 엘리아데는 현실 속에서도 성스러움을 경험할 수 있다고 주장하였다. 엘리아데는 성스러움을 초월적 실재의 현현으로 보았다.

ㄴ. 엘리아데는 인간의 감각만으로는 파악할 수 없는 초월적인 존재가 있음을 인정하였다.

오답피하기 ㄷ. 엘리아데는 초자연적인 것과 자연적인 것은 상호 모순적이라고 보지 않았다. 엘리아데는 성과 속이 상호적인 것이라고 주장하였다.

ㄹ. 엘리아데는 자연이 지니는 성스러움은 다양한 방법들을 통해 인식할 수 있다고 보았다. 따라서 과학적 탐구를 통해서만 성스러움을 인식할 수 있다고 본 것은 아니다.

10 예술과 윤리의 관계에 대한 입장 비교

문제분석 (가)는 심미주의적 입장, (나)는 도덕주의적 입장이다. (가)는 도덕적 가치와 미적 가치는 무관하다고 보며, 예술의 자율성과 독창성을 강조하여 순수 예술론을 지지한다. 반면 (나)는 도덕규범인 예와 예술로서의 음악은 서로 긴밀한 관계를 맺어야 함을 강조한다.

정답찾기 ④ (나)는 음악을 정치적 교화, 인격 수양, 화합을 위한 중요한 도구로 본다. 따라서 예술은 인간의 성품을 순화하고 도덕적 교훈이나 본보기를 제공해야 한다고 보기 때문에 예술과 도덕적 평가의 독립성을 강조하는 정도(X)는 낮고, 예술이 지닌 인격 수양 도구로서의 역할을 수행해야 함을 강조하는 정도(Y)는 높으며, 예술의 자율성을 바탕으로 예술 자체의 미적 추구를 강조하는 정도(Z)는 낮다.

09회 미니모의고사

본문 35~38쪽

1 ②	2 ④	3 ③	4 ④	5 ④
6 ④	7 ④	8 ①	9 ②	10 ④

1 이론 규범 윤리학과 메타 윤리학의 특징 파악

문제분석 갑은 윤리학이 보편적 도덕 원리를 탐구하여 도덕적 행위를 정당화시켜 줄 수 있는 기준을 제시해야 한다고 보는 이론 규범 윤리학의 입장이다. 을은 윤리학이 도덕적 행위와 관련된 진술의 논리적 타당성을 분석하여 실제 사용된 언어의 의미를 규명해야 한다고 보는 메타 윤리학의 입장이다. 따라서 A, B, C에는 이론 규범 윤리학과 메타 윤리학의 특징을 비교하여 판단할 수 있는 질문이 들어가면 된다.

정답찾기 ② 이론 규범 윤리학은 도덕적 행위의 근본 원리가 될 수 있는 윤리 이론에 대한 탐구를 중시하므로 순수 이론 학문이 아닌 실천 지향적 학문이라고 볼 수 있다. 따라서 B에 들어갈 질문으로 적절하다.

오답피하기 ① 도덕 현상에 대한 객관적 기술에 주력하는 윤리학은 기술 윤리학이다. 따라서 A에 들어갈 질문으로 적절하지 않다.

③ 윤리학이 도덕적 논의의 의미론적 구조 분석에 주력해야 한다고 보는 것은 이론 규범 윤리학이 아닌 메타 윤리학에 해당한다. 따라서 B에 들어갈 질문으로 적절하지 않다.

④ 메타 윤리학의 주된 목표는 바람직한 삶에 대한 안내가 아닌 도덕적 언명에 대한 논리적 타당성 분석이다. 따라서 C에 들어갈 질문으로 적절하지 않다.

⑤ 윤리학이 도덕 문제 해결을 위한 구체적 행위 지침을 제시해야 한다고 보는 것은 메타 윤리학이 아닌 실천 규범 윤리학이다. 따라서 C에 들어갈 질문으로 적절하지 않다.

2 자연법 윤리와 담론 윤리 비교

문제분석 갑은 아퀴나스이고, 을은 하버마스이다. 아퀴나스는 자연법에 근거한 윤리를 제시하였으며, 하버마스는 공적 담론을 통한 규범의 도출을 주장하였다.

정답찾기 ㄹ 하버마스는 공론장에는 모든 합리적인 인간들이 참여할 수 있다고 본다.

오답피하기 ㄱ 아퀴나스는 인간의 본성에 근거한 자연법을 근거로 윤리적 원칙을 세우려 하였다.

ㄴ 아퀴나스에 의하면 자살은 자기 보존 본능과 종족 보존 본능에 위배되는 행위이다.

ㄷ 하버마스는 의사소통적 이성이 발현되는 공론장에서의 합의를 통해 규범을 도출하고자 한다.

ㅁ 아퀴나스와 하버마스 모두 보편적 도덕규범에 따른 행위를 도덕적 행위로 파악한다.

3 아리스토텔레스, 테일러, 레오폴드의 자연관 비교

문제분석 (가)의 갑은 아리스토텔레스, 을은 테일러, 병은 레오폴드이다. 아리스토텔레스는 인간 중심주의, 테일러는 생명 중심주의, 레오폴드는 생태 중심주의 관점을 제시한다. 아리스토텔레스는 목적론적 관점에 근거해 인간 중심주의를 정당화하며, 테일러는 생명체가 목적론적 생명이라는 점에 근거해 생명 중심주의를 정당화한다. 그리고 레오폴드는 대지가 생명 공동체라는 주장에 근거해 생태 중심주의를 정당화한다.

정답찾기 ㄷ. 아리스토텔레스는 테일러나 레오폴드와 달리 이성적 특성을 도덕적 고려와 지위의 근거로 삼는다. 따라서 생명 중심주의와 생태 중심주의 입장에서 인간 중심주의 입장을 비판할 내용으로 적절하다.

ㄹ. 레오폴드는 전체론적 관점에서 대지 생명 공동체의 온전성과 안정성, 아름다움이 그 자체로서 도덕적 고려의 대상이라고 주장한다. 따라서 생명 중심주의 입장인 테일러와 인간 중심주의 입장인 아리스토텔레스에게 제기할 적절한 비판이다.

오답피하기 ㄱ. 아리스토텔레스의 입장에서 테일러와 레오폴드에게 제기할 수 있는 적절한 비판이 아니다. 생명 중심주의자인 테일러는 동물과 식물, 즉 생명이 있는 모든 존재가 내재적 가치를 지닌다고 주장한다.

ㄴ. 테일러만이 아니라 레오폴드 또한 생명 공동체의 구성원들에 대한 도덕 행위자의 책임을 강조한다.

4 요나스의 책임 윤리 이해

문제분석 제시문의 내용은 요나스의 책임 윤리이다. 요나스는 인간 중심의 전통 윤리학을 가지고서는 오늘날의 과학 기술 시대에 발생하는 윤리 문제를 해결하기 어렵다고 진단한 다음, '예견적 책임'에 기초한 새로운 윤리로서 책임 윤리를 주장한다.

정답찾기 ④ 요나스는 생명이 지닌 본래적 가치를 복원하는 윤리로서 책임 윤리를 주장한다. 따라서 현세대의 인간만이 권리를 요구할 수 있다는 주장에 대해 동의하지 않는다.

오답피하기 ① 요나스의 책임 윤리는 생명에 대한 외경에 기초한 윤리이다. 즉 '생명체로서의 존재가 책임의 전제 조건'이다.

② 요나스의 책임 윤리는 '모든 책임의 원형은 인간의 인간에 대한 책임'이라고 주장한다.

③ 요나스는 책임 이념의 근거를 호혜성이 아닌 비호혜성에 둔다.

⑤ 요나스의 책임 윤리는 인간의 행위 결과가 지구 위에서 인류의 참된 삶과 영원히 조화를 이룰 것을 주장한다.

5 배아 실험에 대한 찬반 입장 이해

문제분석 갑은 배아를 성인과 같은 존재로 보아 배아 실험에 반대하는 입장이고, 을은 배아를 인간 생명이 아닌 단순한 세포라고 보아 배아 실험에 찬성하는 입장이다.

정답찾기 ④ 갑은 배아가 내재적 가치를 지녔다고 보는 입장이고, 을은 배아의 내재적 가치를 인정하지 않는 입장이다. 따라서 갑에 비해 을은 배아가 지닌 수단으로서의 가치를 강조한다고 볼 수 있다.

오답피하기 ① 갑은 배아 실험에 반대하는 입장이다.

② 갑은 배아가 인간으로서의 존엄성을 지닌다고 보므로 배아의 파괴를 윤리적 문제로 볼 것이다.

③ 을은 배아를 단순한 세포 덩어리로 보므로 인간으로서의 생명권이 없다고 볼 것이다.
⑤ 갑의 입장에만 해당하는 내용이다.

6 프로테스탄트와 공자의 직업관 이해

문제분석 갑은 베버, 을은 공자이다. 베버는 근면, 성실, 절제를 강조하는 프로테스탄트 윤리가 근대 서구 자본주의 발전의 강력한 원동력이 되었다고 보았다. 공자는 자신이 맡은 직분에 충실해야 한다는 정명 정신을 강조하였다.

정답찾기 ㄱ. 베버는 근면과 금욕을 강조하는 프로테스탄트 윤리가 근대 서구 자본주의 발전에 기여했다고 주장하였다.
ㄷ. 공자는 "임금은 임금답고 신하는 신하다워야 한다."라는 정명론을 강조하며 각자의 직분에 충실할 때 사회 질서가 유지된다고 주장하였다.
ㄹ. 공자는 임금이 백성을 다스릴 때에는 씀씀이를 줄이고 백성을 사랑해야 한다고 보았다. 따라서 공자는 사회 역할을 수행함에 있어 절제하는 생활 태도가 필요하다고 주장하였다.

오답피하기 ㄴ. 베버는 신이 정해 준 소명으로서의 직업관을 제시한 프로테스탄트 윤리가 부단하고 지속적인 직업 노동을 가능하게 하여 자본주의 정신의 발전에 막대한 영향을 미쳤음을 강조하였다.

7 노직과 롤스의 분배 정의론 비교

문제분석 갑은 노직이고, 을은 롤스이다. 노직은 취득과 이전의 과정이 정당하면 그 과정을 통해 얻은 소유물에 대해서는 절대적 권리를 갖는다고 주장한다. 롤스는 자연적·사회적 우연성으로 인한 불평등의 문제를 해결하기 위하여 원초적 입장이라는 가상적 상황을 설정한다.

정답찾기 ④ X축(사회적 약자에 대한 배려를 강조하는 정도)은 롤스가 노직보다 높으므로 ㄴ, ㄹ, ㅁ이 해당된다. Y축(실질적 기회 균등의 실현을 추구하는 정도) 역시 롤스가 노직보다 높으므로 ㄱ, ㄴ, ㄷ, ㄹ이 해당된다. Z축(개인 삶에 대한 국가 개입의 최소화를 지향하는 정도)은 롤스가 노직보다 낮으므로 ㄷ, ㄹ, ㅁ이 해당된다. 결국 공통 지점은 ㄹ이다.

8 시민 불복종에 대한 롤스의 입장 파악

문제분석 그림의 강연자는 롤스이다. 롤스는 시민 불복종이 거의 정의로운 사회에서 부정의한 법이나 정부 정책에 변혁을 가져올 목적으로 행해져야 한다고 주장한다.

정답찾기 ㄱ. 롤스는 시민 불복종에 참여한 사람은 법을 위반한 것에 대한 처벌을 감수해야 한다고 주장한다.
ㄴ. 롤스는 시민 불복종의 기준이 공공적 정의관, 즉 사회적 다수에 의해 공유된 정의관이어야 한다고 주장한다.

오답피하기 ㄷ. 롤스는 시민 불복종이 거의 정의로운 사회에서 가능하다고 본다. 그는 부정의하고 부패한 체제에서는 시민 불복종이 불가능하다고 본다. 따라서 독재 체제에 저항하는 행위는 시민 불복종에 해당하지 않는다.
ㄹ. 롤스는 정치적 원칙에 근거하지 않는 양심적 병역 거부와 같이 개인의 신념이나 양심에 비추어 법령을 거부하는 것은 시민 불복종이 아니라고 본다. 그는 공동체의 정의관에 근거한 경우에만 시민 불복종이 성립한다고 주장한다.

9 아리스토텔레스에 있어 개인선과 공동선의 관계 파악

문제분석 제시문은 아리스토텔레스의 입장이다. 아리스토텔레스에 따르면 국가와 같은 대규모 공동체는 물론이고 가정이나 마을과 같은 소규모 공동체도 모두 인간의 선을 위해 존재한다. 하지만 아리스토텔레스는 규모가 큰 공동체일수록 더 좋고 고귀한 선을 추구한다고 생각한다. 아리스토텔레스에게 있어서 국가는 선을 목적으로 하는 공동체이다. 국가가 추구하는 선은 시민의 행복이므로 개인이 추구하는 행복과 별개의 것이 아니다.

정답찾기 ② 아리스토텔레스에게 있어 국가의 선을 추구한다는 것은 시민의 선을 추구한다는 것이며, 이는 각 개인들이 인간으로서 누려야 할 행복을 추구한다는 것을 의미한다. 따라서 국가 속에서 개인선과 공동선이 양립할 수 없다고 볼 수 없다.

오답피하기 ① 아리스토텔레스는 국가를 자연 발생적인 최고의 공동체로 본다.
③ 제시문에서 아리스토텔레스는 국가가 최상위의 선을 추구할 것이라고 본다.
④ 아리스토텔레스는 전체는 필연적으로 부분에 우선하기 때문에 국가는 개인에 우선한다고 주장한다.
⑤ 아리스토텔레스에게 있어 국가의 선을 추구한다는 것은 시민의 선을 추구한다는 것이다.

10 니부어의 사상 이해

문제분석 갑은 개인의 이성과 양심(개인 윤리적 관점)의 계발만으로 사회적 도덕 문제의 해결이 가능하다는 도덕가이다. 을은 사회적 도덕 문제를 해결하기 위해서는 개인의 이성(합리성)이나 도덕적 선의지의 고양도 필요하지만, 사회 구조와 제도의 개선이 중요하다는 니부어이다.

정답찾기 ④ 니부어는 사회 정의의 실현을 위해 도덕적 통제를 받는 정치적·물리적 강제력을 중시한다.

오답피하기 ① 사회 정의 실현을 위해 구성원 개인들의 이성과 선의지의 계발에만 의존하는 것은 갑의 입장이다.
② 니부어는 종교적 신념이나 도덕적 양심에만 기대어 사회적 도덕 문제를 해결하려는 입장의 한계를 비판한다.
③ 니부어는 사회 정의 실현을 위해 힘의 견제와 균형을 강조하는 제도만이 중요하다고 보지 않는다.
⑤ 니부어는 개인의 도덕성이 사회 집단의 도덕성을 결정한다고 주장하지 않는다.

1 ②	2 ④	3 ②	4 ③	5 ②
6 ②	7 ③	8 ③	9 ③	10 ③

1 덕 윤리에 의한 사이버 공간의 도덕 문제 해결 이해

문제분석 갑은 덕(德) 윤리 이론의 입장이다. 덕 윤리에서는 덕을 좋은 행위의 습관화를 통해 나타나는 성격적 특성으로 사람들이 갖고 있으면 좋은 것이라고 이해한다. 도덕적 미덕의 사례들로 자비, 친절, 신중함, 성실, 관용, 자제력 등이 있다.

정답찾기 ② 덕 윤리는 절제 있는 좋은 행위의 지속적인 습관화가 절제의 덕을 갖춘 사람이 되게 해 준다고 주장한다. 따라서 문제 상황의 A 씨에게 할 수 있는 적절한 조언에 해당한다.

오답피하기 ① 타인을 배려하는 자연스러운 배려의 감정에 기초해 행위 하라고 조언하는 것은 배려 윤리 입장에 해당한다.
③ 행위가 산출하는 결과로서 효용과 만족을 계산하여 행동하라고 조언하는 것은 공리주의 입장에 해당한다.
④ 이상적인 담론 상황에 의한 보편화 가능한 규범의 형성은 담론 윤리에서 중시하는 내용이다.
⑤ 자신의 행위의 준칙이 언제나 동시에 보편적 도덕 법칙과 일치하기를 강조하는 것은 칸트의 의무론에서 중시하는 내용이다.

2 유교의 효 사상 이해

문제분석 제시문은 부모가 불의에 빠지지 않도록 간(諫)하는 것에 관한 유교의 입장이다. 간언(諫言)이란 웃어른이 옳지 못하거나 잘못된 일을 고치도록 하는 말을 가리킨다. 제시문은 부모가 불의에 빠지지 않도록 간하는 것이 효의 실천임을 말하고 있다.

정답찾기 ④ 제시문의 논지에 따르면 부모에게 간할 때는 때와 장소에 따라 적절한 말을 해야 한다.

오답피하기 ① 유교에서는 부모의 뜻이 불의(不義)한데 자식이 간하지 않아 부모가 불의에 빠지는 것은 종국적으로 불효를 저지르는 일이라고 보았다. 따라서 예외 없이 부모의 뜻을 받들어 실천하는 것을 효의 실천이라고 말하기 어렵다.
② 유교에서는 사회적 정의의 실현도 중요하지만 그것이 부모에 대한 사랑인 효보다 우선한다고 보지 않았다. 유교에서는 부모와 자식 간의 친애가 사회 윤리의 기초가 된다고 본다.
③ 효의 실천 방법은 제시문의 내용과 같이 부모가 불의에 빠지지 않도록 간하는 것에서도 찾을 수 있으므로 물질적인 봉양만이 올바른 효의 실천 방법이라고 말할 수 없다.
⑤ 불의한 일에 빠지지 않도록 자식이 부모에게 간언할 때에는 언제나 공경의 마음으로 간해야 한다고 하였다. 유교의 입장에서 볼 때 부모의 잘못을 널리 알리는 것을 효라고 보기 어렵다.

3 에피쿠로스와 하이데거의 죽음관 이해

문제분석 갑은 에피쿠로스, 을은 하이데거이다. 에피쿠로스는 살아 있는 동안 죽음은 오지 않았고, 죽으면 이미 존재하지 않기 때문에 죽음에 대한 공포로부터 벗어날 것을 강조하였다. 하이데거는 아직 오지 않은 미래의 죽음을 미리 앞질러 가 죽음과 대면함으로써 본래적 실존을 회복할 것을 강조하였다.

정답찾기 ② 에피쿠로스는 사후에도 영혼이 남아 활동한다는 것을 인정하지 않았다.

오답피하기 ① 에피쿠로스는 유물론의 관점을 수용하여, 죽음은 감각이 소멸되는 것이므로 경험할 수 없는 것이라고 보았다.
③ 하이데거는 죽음에 대한 자각이 진실한 실존을 회복할 수 있는 계기가 된다고 보았다.
④ 하이데거는 인간의 유한성에 대한 자각, 즉 죽음에 대한 자각을 통해 본래성을 회복할 수 있다고 보았다.
⑤ 에피쿠로스는 사람들이 죽음에 대해 갖는 공포를 극복할 수 있는 관점을 제시하였다. 하이데거는 죽음과 마주 대하여 참된 실존을 회복함으로써 자신의 삶을 좀 더 주체적으로 살아갈 수 있다고 보았다.

4 다문화주의에 대한 이해

문제분석 갑은 다문화주의적 입장을 지니고 있다. 이에 의하면 타자가 억압과 통제에서 벗어나 자신의 문화를 보존하고, 여러 문화가 동등한 가치를 인정받고 조화를 이루어야 한다. 따라서 갑의 관점에서는 A국에 대해 다른 문화를 차별하고 다른 문화와 상호 공존하지 못하고 있다고 비판할 수 있다.

정답찾기 ③ A국은 이민자들의 고유 문화를 존중하지 않고 자국 문화를 중심으로 하는 동화주의 정책을 취하고 있다. 갑의 입장에서 A국의 태도는 바람직하지 않다.

오답피하기 ① 갑은 이주민이나 원주민 모두 상대의 전통에 무조건 따라서는 안 된다고 본다.
② 갑에 의하면 다양한 문화는 대등하게 존재해야 한다.
④ 갑은 주류와 비주류를 구분하지 않으며, 다양한 문화의 공존을 강조하므로 단일한 문화를 지향한다고 볼 수 없다.
⑤ 갑은 다양한 문화들이 동등하게 공존해야 한다고 파악하므로 문화 흡수에 대해 반대할 것이다.

5 기업의 사회적 책임에 대한 프리드먼의 입장 이해

문제분석 그림의 강연자는 프리드먼이다. 프리드먼은 자유 경제 체제에서 경영자들은 오직 기업의 소유주들에 대해서만 직접적인 책임을 진다고 보았다. 이러한 관점에서 프리드먼은 기업에 사회적 책임이 있다면 그것은 이윤 극대화라고 주장하였다.

정답찾기 ② 프리드먼은 기업은 이익 창출을 위해 존재하기 때문에 기업의 사회적 책임은 오직 이윤 극대화라고 주장하였다. 따라서 프리드먼의 입장에서 볼 때 기업은 영리를 초월하여 공동선을 추구해야 할 책임이 없다.

오답피하기 ① 프리드먼에 의하면 기업은 주주들의 최대 이익을 실현하기 위한 도구일 뿐이다.
③ 프리드먼에 의하면 기업은 주주의 이윤 창출을 위한 수단일 뿐이므로, 기업은 사회적 약자에 대한 경제적 지원의 책임에서 자유

롭다.

④ 프리드먼에 의하면 기업의 사회적 책임은 기업 이익의 극대화를 위한 활동에 매진하는 것이다.

⑤ 프리드먼에 의하면 기업인의 사회적 책임은 오직 주주들을 위해 최대 이익을 실현하는 것뿐이다. 따라서 프리드먼의 관점에서 볼 때 기업인에게 기부를 요구하는 행위는 개별 주주들이 자신의 돈을 어떻게 쓸지 결정하는 것을 방해하는 행위로 간주될 수 있다.

6 롤스, 벤담, 노직의 정의관 비교

문제분석 갑은 평등한 자유와 차등의 원칙을 주장한 롤스, 을은 유용성의 원리를 강조한 벤담, 병은 소유권을 지닌 개인의 자발적이고 자유로운 선택권을 강조한 노직이다.

정답찾기 ㄱ. 갑의 롤스는 원초적 입장의 무지의 베일에서 합의된 정의의 원칙에 따라 사회·경제적 불평등은 최소 수혜자의 처지를 개선하는 한에서 정당화된다고 주장한다.

ㄹ. 노직의 최선의 국가로서 '최소 국가'는 국가의 기능을 강압, 절도, 사기로부터의 보호 및 계약의 집행 등으로 협소하게 규정한다.

오답피하기 ㄴ. 롤스는 원초적 입장의 상호 무관심한 당사자들이라는 특성이 질서 정연한 사회에서도 그대로 나타날 것이라는 주장을 거부한다.

ㄷ. 롤스는 천부적 재능의 우연한 분포를 사회적 자산으로 간주할 것을 주장한다.

7 주거 공간으로서의 집의 도덕적 이해

문제분석 제시문은 주거 공간인 집에 관한 우리의 전통, 즉 유교의 이념과 가치를 구현하는 도덕적 가치를 지닌 공간으로서의 집에 대해 설명하고 있다.

정답찾기 ③ 제시문은 전통 사회에서 거주 공간으로서의 집은 유교 사회의 이상적인 가치들을 구현하는 상징적 의미를 지닌 공간이었다고 주장한다.

오답피하기 ① 제시문을 통해 집이 경제적 효용이나 신성성이 깃든 공간이라는 점을 추론하기는 어렵다.

② 제시문은 건축 행위의 결과로서 집이 자연에 대한 기술적 힘의 시험이라고 주장하지 않는다.

④ 제시문은 집을 거주하는 사람의 욕망이 아닌 유교적 도덕 가치를 구현하는 공간이라고 본다.

⑤ 제시문은 집이 삶의 편리와 실용성을 중시하는 기능 중심의 공간이 아니라 유교적 가치와 원리를 구현하는 공간이라고 본다.

8 과시적 소비와 윤리적 소비 비교

문제분석 갑은 과시적 소비, 을은 윤리적 소비를 설명하고 있다. 과시적 소비는 지출을 통해 개인의 명성을 뽐내고자 하기 때문에 '쓸모없는 물건'에 대한 소비도 당연하게 받아들인다. 반면, 윤리적 소비는 제3세계 생산자(노동자, 어린이, 여성 등)의 인권을 중시하고, 이들의 경제적 자립을 강조하는 착한 소비를 중시하며, 환경적으로도 지속 가능한 녹색 소비를 중시한다.

정답찾기 ③ X(높음), Y(낮음), Z(높음). 을의 윤리적 소비는 생산자에 대한 공정 임금의 지급과 생태적으로 지속 가능한 소비를 강조한다.

오답피하기 ① X(낮음), Y(높음), Z(높음). 을의 윤리적 소비는 생태적으로 지속 가능한 소비(Z)를 강조하지만, 자기 과시와 만족을 위한 소비(Y)에 대해서는 비판적이다.

② X(높음), Y(높음), Z(높음). 자기 과시와 만족을 강조하는 소비(Y)는 갑의 입장에 적절하다.

④ X(높음), Y(높음), Z(낮음). 갑의 입장에 적절하다.

⑤ X(높음), Y(낮음), Z(낮음). 을은 생산자에게 공정 임금의 지급(X)과 생태적으로 지속 가능한 소비(Z)를 강조한다.

9 니부어의 사회 윤리 이해

문제분석 제시문의 '나'는 니부어의 사회 윤리적 관점을 지지하는 사람이다. 니부어는 집단 이기주의로 인한 사회 윤리적 문제는 사회 구조와 제도의 개혁을 통해서 해결될 수 있다고 하였다. 제시문의 '어떤 사람들'은 합리성의 발전과 선의지의 함양을 통해 집단 간의 조화가 실현될 수 있다고 본다. 그러한 '어떤 사람들'의 입장은 개인 윤리적 관점이라고 할 수 있다. 따라서 니부어의 사회 윤리적 관점에서 개인 윤리적 관점을 취하는 '어떤 사람들'의 주장에 대해 어떻게 말할 수 있는지를 찾으면 된다.

정답찾기 ㄴ. 제시문의 '나'는 국가가 정치적 강제력을 행사해야 부정의를 극복할 수 있다고 주장하고 있다.

ㄹ. 니부어는 부정의가 지속되는 원인은 집단 간 힘의 불균형에 있으므로 부정의로 이익을 얻는 힘센 집단에 대항하는 힘을 형성해야 정의가 실현될 수 있다고 본다.

오답피하기 ㄱ. 제시문의 '나'는 집단 간 대화를 통한 합의를 강조하지 않는다. 니부어의 입장을 지지하는 '나'는 강제력의 행사를 통한 부정의의 극복을 강조한다.

ㄷ. 제시문의 '어떤 사람들'은 합리성 함양을 통해 집단 이기주의를 극복할 수 있다고 주장한다.

10 형벌에 대한 베카리아와 칸트의 입장 비교

문제분석 갑은 베카리아이고, 을은 칸트이다. 베카리아는 사형 제도가 범죄 예방의 효과가 작고 사회 성원의 계약 내용이 아니라는 것을 근거로 사형 제도에 반대한다. 반면에 칸트는 사형 제도를 응보주의적 관점에서 정당한 보복의 수단이라고 본다.

정답찾기 ③ 베카리아는 형벌이 범죄 예방이라는 사회적 유용성을 증진하기 위한 수단이 되어야 한다고 보는 반면, 칸트는 형벌은 사회적 선을 위한 수단이 되어서는 안 된다고 본다.

오답피하기 ① 칸트는 형벌이 범죄자를 자율적 존재로 존중하는 것이라고 보기 때문에 인간의 존엄성을 침해하는 것이라고 보지 않는다.

② 베카리아는 부정의 대답을, 칸트는 긍정의 대답을 할 질문이다. 베카리아에 의하면 형벌의 정도는 범죄 예방 효과에 비추어 정해져야 한다.

④ 칸트가 부정의 대답을 할 질문이다. 칸트에 의하면 범죄자는 형벌을 의욕한 것이 아니라 형벌을 받을 행위를 의욕한 것이다.
⑤ 베카리아에 의하면 인간이 사회 계약을 맺을 때 생명에 대한 권리를 주권자에게 위탁한 것은 아니므로 국가는 사형에 대한 권리를 갖지 않는다. 그러나 칸트는 사법적 형벌의 하나로 사형 제도를 인정한다. 그러므로 칸트만 긍정의 대답을 할 것이다.

11회 미니모의고사

본문 42~45쪽

1 ③	2 ②	3 ⑤	4 ⑤	5 ⑤
6 ①	7 ④	8 ⑤	9 ③	10 ②

1 이론 규범 윤리학과 메타 윤리학의 특징 비교

문제분석 갑은 이론 규범 윤리학의 윤리학적 연구가 필요하다고 보는 입장이고, 을은 메타 윤리학의 윤리학적 연구가 필요하다고 보는 입장이다. 이론 규범 윤리학은 도덕적 행위에 대한 근거가 될 수 있는 도덕 이론의 연구를 주된 과제로 삼는다. 반면 메타 윤리학은 윤리학의 학문적 성립 가능성을 확인하기 위해 도덕적 언어의 분석을 주된 연구 과제로 삼는다.

정답찾기 ③ 메타 윤리학은 도덕 개념의 명료화와 명제 및 신념들의 분석과 검증을 통해 도덕적 추론의 타당성을 입증하거나 정당화하는 것을 주된 목적으로 삼는다.

오답피하기 ① 기술 윤리학의 특징이다.
② 메타 윤리학의 특징이다.
④ 이론 규범 윤리학의 특징이다.
⑤ 규범 윤리학의 특징이다.

2 롤스, 벤담, 노직의 정의관 비교

문제분석 갑은 평등한 자유와 차등의 원칙을 주장한 롤스, 을은 유용성의 원리를 강조한 벤담, 병은 소유권을 지닌 개인의 자발적이고 자유로운 선택권을 강조한 노직이다.

정답찾기 ㄱ. 롤스는 원초적 입장의 무지의 베일에서 합의된 정의의 원칙에 따라 사회·경제적 불평등은 최소 수혜자의 처지를 개선하는 한에서 정당화된다고 주장한다.
ㄹ. 노직의 최선의 국가로서 '최소 국가'는 국가의 기능을 강압, 절도, 사기로부터의 보호 및 계약의 집행 등으로 협소하게 규정한다.

오답피하기 ㄴ. 롤스는 원초적 입장의 상호 무관심한 당사자들이라는 특성이 질서 정연한 사회에서도 그대로 나타날 것이라는 주장을 거부한다.
ㄷ. 롤스는 천부적 재능의 우연한 분포를 사회적 자산으로 간주할 것을 주장한다.

3 예술에 대한 다양한 입장 비교

문제분석 갑은 도덕주의를 주장한 유학 사상가 순자이고, 을은 심미주의를 주장한 와일드이다. 순자는 예와 악이 불가분의 관계에 있는 것으로서 겉으로 드러나는 예가 바르기 위해서는 음악을 통해 내면의 마음을 고르게 해야 한다고 주장하며, 음악이 인간의 도덕성 도야에 기여해야 한다고 보았다. 와일드는 예술이 그 자체로 순수한 미적 가치만을 추구해야 한다고 주장하며, 예술의 미적 가치가 예술을 평가하는 유일한 기준이라고 보았다.

정답찾기 ⑤ 와일드는 예술은 아름다움을 구현하기 위한 것이라고 주장할 것이다. 따라서 예술의 도덕성을 강조한 순자에게 아름다움만으로 충분한 가치가 있다고 비판할 수 있다.

오답피하기 ① 예술의 사회적 영향력을 강조한 것은 순자의 입장에 해당한다.
② 심미주의적 입장을 취하는 와일드는 예술의 목적이 선을 구현하는 데 있다고 간주하지 않는다.
③ 와일드는 예술을 통해 사회에 저항해야 한다고 주장하지 않았다. 와일드에게 예술이란 사회적인 가치를 배제하고 미(美)를 추구하는 것이다.
④ 와일드는 예술이 도덕적 교양을 고려해야 한다고 보지 않았다. 예술은 아름다움 그 자체만을 실현하기 위해 노력해야 한다고 보았다.

4 노동에 대한 베버와 마르크스의 입장 비교

문제분석 (가)의 갑은 베버, 을은 마르크스이다. 베버는 근면, 성실, 절제를 강조하는 프로테스탄트의 윤리적 자세가 휴식과 게으름, 낭비, 향락을 물리쳐 합리적 자본주의의 정착에 도움이 되었다고 보았다. 또한 그는 프로테스탄트 윤리가 정당한 이윤 추구를 통한 이익과 부의 획득을 죄악시하지 않으면서도 자신을 절제할 수 있도록 도왔다고 주장하였다. 마르크스는 인간은 노동을 통하여 자기 본질을 실현하는 존재라고 보았다. 그러나 근대 자본주의 사회의 분업화된 노동(매뉴팩처)은 노동자를 특수한 기능만을 수행하는 기형적 불구로 만들고 이로 인해 노동 소외 문제와 노동력 착취를 발생시켜 노동자의 자아실현을 불가능하게 만든다고 주장하였다.
정답찾기 ㄱ. 베버, 마르크스 모두 긍정의 대답을 할 질문이다. 베버는 청교도들이 직업에서의 노동을 신의 영광을 드러내는 수단으로 본다고 보았고, 마르크스는 직업에서의 노동을 자기 본질을 실현하는 수단으로 보았다.
ㄷ. 베버는 긍정, 마르크스는 부정의 대답을 할 질문이다. 베버는 자본 축적을 가능하게 하여 자본주의 발전에 영향을 준 요인을 소명 정신에 근거한 직업 생활을 강조하는 프로테스탄티즘 윤리라고 보았다. 반면 마르크스는 자본 축적을 가능하게 하여 자본주의 발전에 영향을 준 요인을 분업화된 노동을 통한 노동력의 착취라고 보았다.
ㄹ. 마르크스가 긍정의 대답을 할 질문이다. 마르크스는 근대 자본주의의 분업된 노동이 노동자를 특수한 기능만을 수행하는 기형적 불구로 만들어 노동 소외를 불러일으킨다고 주장하였다.
오답피하기 ㄴ. 마르크스가 긍정의 대답을 할 질문이다. 마르크스는 자본주의의 분업화된 노동은 노동자를 부분 노동자로 전락시켜 노동자의 자아실현을 불가능하게 만든다고 주장하였다.

5 정보 리터러시 이해

문제분석 제시된 신문 기사는 인터넷과 SNS의 이용이 일상화되고 있는 정보 사회에서 새롭게 요구되고 있는 시민적 자질인 '정보 리터러시'의 중요성을 가짜 뉴스의 사례를 통해 강조하고 있다.
정답찾기 ⑤ 정보 리터러시는 정보의 가치를 제대로 판단하고 평가할 줄 아는 능력을 지닌 시민적 자질을 중요하게 여긴다.
오답피하기 ① 제시문의 필자가 가장 강조하고 있는 것은 정보 사회의 시민적 자질인 정보 리터러시이다.

② 제시문의 필자가 기술적 서비스에 의한 가짜 뉴스의 유통 억제를 주장하고 있지는 않다.
③ 제시문의 필자는 인터넷 매체를 이용해 정치적·경제적 이익을 추구하지 못하도록 해야 한다고 주장하고 있는 것이 아니라 '가짜 뉴스'를 통해 정치적·경제적 이익을 추구하도록 해서는 안 된다고 주장하고 있다.
④ 제시문의 필자는 정보의 자유로운 유통과 표현의 자유보다 사용자의 자율적 규제 역량을 중시하는 정보 리터러시를 주장하고 있다.

6 테일러의 생명 중심주의 이해

문제분석 제시문은 테일러가 인간의 이해관계와 동식물의 이해관계가 서로 충돌했을 때 이를 공정하게 해결할 수 있는 방안으로 제시한 원리들 중 자기 방어의 원리 내용이다. 이 원리 외에 비례(균형)의 원리, 최소악의 원리, 분배적 정의의 원리, 보상적(복원적) 정의의 원리 등이 있다.
정답찾기 ㄱ. 보상적(복원적) 정의의 원리에 해당한다.
ㄴ. 테일러는 비례(균형)의 원리에서 도덕 행위자는 자신의 패션이나 오락을 위해 동물의 기본적 이해관계를 침해해서는 안 된다고 주장한다. 또한 그는 생명체에 대한 의무들 중 성실(충실)의 의무를 통해 동물을 속이거나 기만해서는 안 된다고 주장한다.
오답피하기 ㄷ. 테일러의 자기 방어의 원리는 생명체들의 이해관계가 인간의 이해관계보다 항상 우선해야 한다고 주장하지 않는다.
ㄹ. 테일러는 동식물을 포함한 모든 생명체가 목적 지향적인 삶의 중심체라고 주장한다.

7 유교의 관점에서 형제 관계의 윤리 이해

문제분석 (가)는 유교이다. 유교에서는 인(仁)이 예악(禮樂)의 근원임을 강조하였다. (나)의 ㉠은 형제이다. 형제는 같은 기(氣)를 받고 태어난 사이이면서 한 몸의 팔과 다리처럼 이어진 사이로 수족(手足)에 비유하기도 한다.
정답찾기 ㄴ. 유교에서는 형제간에 상대방의 잘못에 대해서 바른 길을 가도록 돕는 권면(勸勉)의 자세가 요구된다고 본다.
ㄹ. 유교의 관점에서는 형제간의 도리를 사회적으로 확대해 나간다면 이웃 관계의 도리를 실천하는 기초가 될 수 있다고 본다.
오답피하기 ㄱ. 형제간에도 옳은 일을 권하고 잘못된 일을 고치도록 해야 한다. 옳고 그름, 즉 시비(是非)를 분별하지 않는다는 것은 형제간의 도리로 적절하지 않다.
ㄷ. 유교의 관점에서 가족의 출발점을 이루는 관계는 부부 관계이다.

8 형벌에 대한 칸트와 벤담의 입장 비교

문제분석 갑은 칸트, 을은 벤담이다. 칸트는 형벌은 결코 범죄자 자신이나 시민 사회를 위해 어떤 다른 선을 촉진하기 위한 한낱 수단으로서 가해질 수 없고, 오히려 그가 범죄를 저질렀기 때문에 항상 그 때문에 가해지지 않으면 안 된다고 주장하였다. 벤담은 형벌을 통해 범죄자를 교화시켜 장래의 범죄를 예방하여 사회 전체의 이익이 증진될 때 형벌이 정당화된다고 주장하였다.

정답찾기 ⑤ 벤담은 형벌이 위법 행위로부터 얻는 이득보다 우세함을 유지해야 한다고 보았고, 칸트는 형벌의 본질이 범죄 행위에 상응하는 처벌을 가하는 것이라고 보았다. 이러한 관점에서 추론해 볼 때 벤담과 칸트는 형벌이 범죄의 정도에 따라 비례 관계를 유지해야 한다고 볼 것이다.

오답피하기 ① 칸트는 형벌이 인간의 존엄성과 가치를 인정하는 것이라고 본다.

② 칸트는 형벌의 본질을 유용성이 아닌 응보로 보았다. 따라서 형벌의 시행으로 사회의 유용성이 증진되지 않더라도 형벌이 부과될 수 있다.

③ 벤담은 형벌이 초래할 해악이 예방할 해악보다 크면 안 된다고 보았다.

④ 칸트의 형벌에 대한 관점에 해당하는 진술이다. 벤담은 형벌의 정도는 사회의 이익 증진 여부에 달려 있다고 본다.

9 해외 원조에 대한 노직과 롤스의 입장 비교

문제분석 갑은 노직, 을은 롤스이다. 노직은 해외 원조는 개인의 자율적인 선택이며 의무가 아니라고 본다. 롤스는 해외 원조를 의무로 보아 고통받는 사회가 질서 정연한 사회가 되도록 도와야 한다고 주장한다.

정답찾기 ㄷ. 노직은 빈민국의 정치 체제를 바꾸도록 도와야 할 의무는 없다고 주장한다. 반면, 롤스는 해외 원조를 의무로 본다.

ㄹ. 롤스에 따르면 해외 원조를 의무적으로 행해야 하는 이유는 자유가 보장되는 사회를 실현하기 위해서이다. 따라서 롤스는 해외 원조를 개인의 선택으로 보는 노직의 입장을 비판한다고 볼 수 있다.

오답피하기 ㄱ. 노직은 국가적 경계에 따라 원조의 대상을 차별해야 한다고 주장하지 않는다.

ㄴ. 롤스는 국제적 분배 정의에 대해서는 차등의 원칙을 적용하지 않는다.

10 니부어의 사상 이해

문제분석 제시문을 주장한 사상가는 니부어이다. 니부어는 개인적으로는 도덕적인 사람도 자신이 속한 집단의 이익을 위해 비도덕적으로 행동하기 쉬우며, 사회 문제를 해결하기 위해서는 제도나 정책의 개선을 위한 정당한 강제력이 필요하다고 본다.

정답찾기 ② 니부어는 개인이 도덕적이어도 사회 갈등을 완전하게 해결할 수는 없다고 본다.

오답피하기 ① 니부어는 개인의 선의지가 집단의 도덕성을 결정하지 못한다고 본다.

③ 니부어는 개인의 도덕적 이상은 이타심, 사회의 도덕적 이상은 정의라고 본다.

④ 니부어는 개인의 도덕성이 집단의 크기에 비례하여 증가한다고 간주하지 않는다.

⑤ 니부어는 집단 관계보다 개인 관계에서 도덕성이 발휘될 가능성이 높다고 본다.

<table>
<tr><td colspan="2">**12**회 **미니모의고사**</td><td>본문 46~49쪽</td></tr>
<tr><td>1 ④</td><td>2 ①</td><td>3 ④</td><td>4 ⑤</td><td>5 ②</td></tr>
<tr><td>6 ⑤</td><td>7 ⑤</td><td>8 ④</td><td>9 ⑤</td><td>10 ②</td></tr>
</table>

1 기술 윤리학과 이론 규범 윤리학의 관점 비교

문제분석 (가)는 윤리학은 한 개인이나 사회가 지닌 도덕 판단과 의식을 정확히 기술하는 것이라고 주장하고 있기 때문에 기술 윤리학에 해당하는 내용이다. (나)는 윤리학의 우선적인 관심은 실천적 규범이 되는 보편화 가능한 하나의 이론을 정립하는 것이라고 주장하고 있기 때문에 이론 규범 윤리학에 해당하는 내용이다.

정답찾기 ㄴ. (가)는 기술 윤리학에 해당하는 내용이기 때문에 윤리학은 사람들이 갖고 있는 윤리 의식이나 가치관을 사실 그대로 조사하고 서술하는 것을 중시해야 한다고 주장한다.

ㄹ. (나)는 이론 규범 윤리학이기 때문에 윤리학이 성품이나 행위 또는 제도 등에 관한 윤리적 판단의 이론적 근거를 제공해 주어야 한다고 주장한다.

오답피하기 ㄱ. 윤리학의 관심을 도덕적 논증의 의미론적이고 논리적인 구조 분석에 두는 것은 메타 윤리학에서 강조하는 특성이다.

ㄷ. (나) 윤리학은 이론 규범 윤리학이 중시하는 내용이기 때문에 도덕 원리나 규칙으로 이루어진 체계에 기초해 도덕을 이해하고, 도덕적 판단을 하고자 한다. 한편 도덕 문제를 해결하기 위해 도덕 원리나 규칙은 물론, 문제 상황과 관련된 사실적 지식에 대해서도 중요한 관심을 보이는 윤리학은 실천 윤리학이다.

2 자연법과 칸트의 의무론 비교

문제분석 갑은 토마스 아퀴나스로 제시문은 그의 자연법에 대한 설명이고, 을은 칸트이며 제시문은 그가 저술한 "실천 이성 비판"의 일부 내용이다. 두 사상은 의무론적 윤리라는 점에서 공통점이 있다. 두 윤리 이론은 행위의 결과와 상관없이 도덕적 의무이기 때문에 행할 것을 주장한다.

정답찾기 ① 갑, 을은 모두 의무론적 윤리를 대표하기 때문에 행위의 도덕성을 도덕 법칙에 근거한 의무의 실천에 둔다.

오답피하기 ② 갑, 을은 모두 윤리에 관한 의무론적 관점이다. 행위의 도덕성을 가장 큰 유용성을 산출하는 규칙에 두는 것은 규칙 공리주의이다.

③ 갑, 을은 모두 윤리에 관한 의무론적 관점이기 때문에 관습이나 전통을 도덕적 행위의 기준으로 삼지 않는다.

④ 행위가 가져올 결과에 주목하는 대표적인 윤리는 근대 공리주의이다.

⑤ 행위의 도덕적 정당성을 자연적 질서로부터 규명하려는 의무론적 윤리는 자연법 윤리이다.

3 성 상품화에 대한 칸트의 입장 이해

문제분석 갑은 모든 인격을 목적으로서 대우해야 하며, 인격은 사물처럼 대상화될 수 없으며 타인에게 처분될 수 없다고 주장한 칸트의 입장이다.

정답찾기 ④ 칸트는 신체는 인격에 해당하므로 자의적으로 대상화하거나 처분할 수 없다고 본다.

오답피하기 ① 칸트는 경제적 합리성을 기준으로 도덕적 행위를 판단하지 않는다.

② 칸트의 입장에서 볼 때, 자신의 성(性)적 이미지를 통해 돈을 버는 행위는 신체를 목적이 아니라 수단으로 대우한 것이므로 옳지 않다.

③ 칸트의 입장에서 볼 때, 성 그 자체를 직접 사고판 것은 아니지만 자신의 신체를 성 상품화의 수단으로 사용했으므로 도덕적 행위라고 볼 수 없다.

⑤ 칸트의 입장에서 볼 때, 스스로 결정한 행위라도 자신을 상품화했으므로 옳지 않은 행동이다.

4 칸트와 싱어의 윤리적 관점 파악

문제분석 (가)는 칸트의 사상이고, (나)는 싱어의 사상이다. 칸트는 인간을 이성적 능력과 자율성을 지닌 존재로 보며, 이러한 인간만이 도덕적 지위를 가진다고 보았다. 칸트는 인간 중심주의적 입장에서 인간과 자연을 보려고 하였다. 싱어는 '쾌락과 고통을 느끼는 능력'을 가지고 있는 존재는 도덕적 고려의 대상이 되어야 한다고 주장하였다. 이러한 싱어는 동물 중심주의의 윤리적 입장에서 동물을 바라보려고 하였다.

정답찾기 ⑤ 칸트는 이성을 가진 인간을 도덕적 행위의 주체로 보면서 인간에 대한 배려를 중시하였지만, 동물을 이성적 능력과 자율성이 결여된 존재로 보았기 때문에, 동물의 이익 관심에 대하여 말하지는 않았다. 싱어는 쾌락과 고통을 느끼는 능력을 이익 관심의 전제 조건으로 간주하였다. 그래서 동물의 이익 관심을 인간처럼 동등하게 고려해야 한다고 주장하였다. 그러므로 X 좌표는 높음에 위치해야 한다. 칸트는 동물의 도덕적 지위를 인정하지는 않고, 단지 인간의 도덕성 향상을 위하여 동물을 친절하게 대우해야 한다고 말했다. 하지만 싱어는 동물들의 도덕적 지위를 인정하면서 동물들을 도덕적으로 배려해야 한다고 주장하였다. 그러므로 Y 좌표는 높음에 위치해야 한다. 칸트는 이성을 가진 존재가 도덕적 지위를 갖는다고 주장하였다. 하지만 싱어는 쾌락과 고통을 느끼는 능력이 도덕적 지위를 갖는지에 대한 기준이 되어야 한다고 보고, 도덕적 배려의 범위를 동물로까지 확장하고자 하였다. 그러므로 Z 좌표는 낮음에 위치해야 한다.

오답피하기 ①, ②, ③, ④ (가)에 비해 (나)가 갖는 상대적 특징과는 다른 특징들을 포함하고 있다. 그러므로 정답이 되기는 어렵다.

5 정보 사유론과 정보 공유론의 관점 차이 파악

문제분석 갑은 정보 사유론을 주장하는 사람이고, 을은 정보 공유론을 주장하는 사람이다. 정보 사유론은 정보와 정보를 통해서 나온 것들을 개인의 재산으로 인정하고 보호해야 한다고 보는 입장이다. 정보 공유론은 정보와 같은 지적 재산은 인류가 누려야 할 소중한 자산이기 때문에 모두가 함께 공유해야 한다고 보는 입장이다.

정답찾기 ② 을은 정보 공유론의 입장을 견지하고 있다. 을은 정보

가 공공재의 성격을 띠고 있으며, 그렇기 때문에 그러한 정보를 함께 나눌 때 그 가치가 증가하게 된다고 본다.

오답피하기 ① 갑은 정보가 지닌 공공재의 성격을 강조하지 않는다.

③ 정보에 대한 접근권이 강화되어야 한다고 강조하는 것은 갑보다는 을이 제시할 주장이다.

④ 갑은 재산권의 존중이 정보 창작을 촉진시키는 방법이라고 본다.

⑤ 갑은 정보에 대한 배타적 권리를 인정하면 정보가 질적으로 향상될 것으로 본다.

6 국가와 구성원의 관계에 대한 아리스토텔레스의 입장 파악

문제분석 제시문은 아리스토텔레스의 주장이다. 아리스토텔레스는 개인의 선과 공동선의 조화를 강조하였다. 아리스토텔레스는 국가와 같은 대규모 공동체를 비롯하여 사적인 소규모 공동체도 모두 인간의 선을 위해 존재한다고 보았다. 그에 따르면 국가가 선을 추구하는 것은 국가를 이루는 국민의 선을 추구한다는 것을 의미한다.

정답찾기 ⑤ 아리스토텔레스는 소규모의 사적 공동체 역시 도덕적 선의 증진에 기여할 수 있다고 보았다.

오답피하기 ① 아리스토텔레스는 인간은 국가가 없이는 생존할 수 없으며, 국가의 선을 존중해야 한다고 보았다.

② 아리스토텔레스는 정치를 통해 정의를 실현해야 하고, 정의는 공익을 증진하는 것이어야 함을 강조하였으므로 구성원의 복지 증진을 강조하였다고 볼 수 있다.

③ 아리스토텔레스는 국가 구성원들은 시민적 유대감을 바탕으로 정의를 실현하기 위해 노력해야 한다고 보았다.

④ 제시문에 의하면 국가는 다른 소규모 공동체보다 가장 권위 있는 공동체에 해당한다.

7 국가에 대한 로크와 노직의 입장 비교

문제분석 갑은 로크, 을은 노직이다. 로크는 자연 상태에서 인간은 비교적 평화롭게 살아가지만 분쟁을 해결해 줄 공통의 법률이 없어 자연권을 확실하게 보장받지 못하자, 이를 해결하기 위해 동의를 통해 국가를 형성하게 되었다고 보았다. 노직은 '소유 권리로서의 정의'를 주장하였으며, 개인은 정당한 소유물에 대해 배타적이고 절대적인 권리를 지닌다고 보았다. 또한 그는 개인의 소유권을 침해하지 않고 개인의 권리를 보호하는 역할만을 수행하는 최소 국가만이 정당화될 수 있다고 주장하였다.

정답찾기 ⑤ 로크와 노직 모두 국가는 개인의 소유권이 침해되지 않도록 보호해야 한다고 주장하였다.

오답피하기 ① 로크는 국가의 권력이 인민의 평화와 공공선, 자유와 재산 보호가 아닌 다른 목적을 위해 행사되어서는 안 되며, 그 외의 자의적인 권력 행사에 대해 인민은 저항할 수 있다고 보았다.

② 로크는 국가를 인민의 자유 보장을 위한 계약의 산물이라고 보았으며, 국가가 인민의 생명, 자유, 재산 보존에 반하는 절대 권력을 행사할 수 없다고 보았다.

③ 노직은 소유물의 이전 과정에서 과오나 그릇된 절차에 의한 소유가 발생했을 경우 국가가 불의의 상태를 바로잡아야 한다는 '교

정의 원칙'을 제시하였다.

④ 노직은 국가가 근로 소득에 세금을 부여하는 것은 강제 노동과 같다고 주장하며, 사회적 약자를 위한 부의 재분배에 대한 국가의 개입을 반대하였다.

8 노동에 대한 마르크스의 관점 이해

문제분석 제시문의 사상가는 마르크스이다. 그는 자본주의 사회에서는 노동자의 노동 생산물이 그들의 욕구를 충족시키는 것이 아니라 오히려 그들과는 낯선 독립적인 힘으로 노동자를 지배한다고 보았다. 마르크스는 이러한 현상을 '소외'라고 표현하며, 사유 재산을 철폐하여 진정한 자발적 노동이 가능해질 때 이를 극복할 수 있다고 주장하였다.

정답찾기 ㄱ. 마르크스는 노동을 통해 얻는 소득이 경제적인 삶을 유지하는 데 기여함을 부정하지 않았다.

ㄷ. 마르크스는 자본가나 사회 구조의 억압과 착취가 없어야 노동으로부터의 소외가 발생하지 않는다고 보았다.

ㄹ. 마르크스는 직업을 통해 인간은 자아를 실현할 수 있어야 한다고 보았다.

오답피하기 ㄴ. 마르크스는 사회 분업은 노동 소외 현상을 발생시키는 원인이 된다고 보았다.

9 국제 관계에 대한 다양한 입장 비교

문제분석 갑은 국가 간 관계는 자기 이익만을 추구하기 때문에 필연적으로 갈등이 발생하게 되며 이에 따라 약육강식의 원리만이 지배하는 무정부 상태가 될 수밖에 없다고 보는 현실주의의 입장이며, 을은 국제 관계에서는 갈등과 분쟁이 발생할 수는 있지만 국가 간에 국제 규범을 준수하여 이를 해결해 나갈 수 있다고 보는 이상주의의 입장이다. 한편 A에는 갑과 을의 입장에 공통적으로 해당되는 질문이, B에는 갑의 입장에서는 긍정, 을의 입장에서는 부정의 대답을 할 질문이, C에는 을의 입장에서 긍정의 대답을 할 질문이 들어가면 된다.

정답찾기 ⑤ 이상주의에서는 전쟁이란 인간의 본성으로부터 유래하는 것이 아니라 국가 간 행동을 규제할 제도나 정책이 부족하거나 부재하여 일어나는 것이므로 합리적 조정을 통해 해결될 수 있다고 본다. 따라서 을이 긍정의 대답을 할 질문이다.

오답피하기 ① 현실주의에서는 세력 균형을 통해 전쟁을 억제하여도 시간이 흐르면 다시 균형이 깨질 수 있으므로 영원한 평화는 불가능하다고 본다. 반면에 이상주의에서는 국제법과 국제 규범의 준수를 통해 전쟁이 방지되면 평화의 유지가 가능하다고 본다. 따라서 갑은 부정, 을은 긍정의 대답을 할 것이므로 A에 들어갈 질문으로 적절하지 않다.

② 현실주의에서는 인간의 본성은 이기적이므로 국가 간 관계에서는 자국의 이익 극대화만을 추구하게 되어 전쟁이 발생하게 된다고 보지만, 이상주의에서는 인간의 본성은 선하므로 갈등이나 분쟁은 인간 본성에서 기인하는 것이 아니라 상대에 대한 무지나 오해로 인해 발생하게 되는 예외적인 것이라고 본다. 따라서 갑은 부정, 을은 긍정의 대답을 할 것이므로 B에 들어갈 질문으로 적절하지

않다.

③ 국제기구가 존재하여 국가 간 분쟁을 조정하는 역할을 담당하는 것에 대해 현실주의에서는 부정적 입장을 취하는 반면, 이상주의에서는 국제기구의 중재 역할을 통해 국가 간 갈등의 해결이 가능하다고 본다. 따라서 갑은 부정, 을은 긍정의 대답을 할 것이므로 B에 들어갈 질문으로 옳지 않다.

④ 이상주의에서는 국제법과 국제 규범에 부족함이 있다 하더라도 국가 간 힘의 경쟁이 아닌 대화와 타협을 통해 이를 해결해 나간다면 국제법과 국제 규범은 국가 간 행위에 대해 구속력을 지닐 수 있다고 본다. 따라서 을은 부정의 대답을 할 것이므로 C에 들어갈 질문으로 옳지 않다.

10 예술과 윤리의 관계에 대한 다양한 입장 비교

문제분석 갑은 예술의 본질이 자유이므로 예술가는 사회적 억압에 저항하여 자유를 얻기 위한 활동에 참여해야 한다고 본 사르트르이며, 을은 예술은 예술 그 자체를 위해 존재해야 한다고 주장한 와일드이다. 따라서 갑은 참여 예술론, 을은 심미주의의 입장에 선 사상가라고 할 수 있다.

정답찾기 ② 참여 예술론을 주장하는 사르트르의 입장에서는 예술은 사회의 모순을 비판함으로써 자유의 실현에 기여하고 사회 발전에 도움이 되어야 한다고 볼 것이다. 따라서 사회와 무관하게 예술 그 자체를 위한 예술을 주장하는 심미주의에 대해서는 이를 깨닫지 못하고 있다고 비판할 수 있다.

오답피하기 ① 갑의 참여 예술론에서는 예술이 사회적 참여의 수단이자 사람들을 정치적으로 각성시키는 도구가 될 수 있다고 본다. 따라서 갑이 을에게 비판할 내용으로 적절하지 않다.

③ 예술은 인간의 도덕성 고양에 기여해야 하므로 예술 활동 역시 윤리적 가치의 안내를 받아야 한다는 것은 도덕주의의 주장이기 때문에, 을이 갑에게 제기할 비판 내용으로 적절하지 않다.

④ 을은 예술은 사회와 무관하게 예술 그 자체를 위해서만 존재해야 한다고 보며, 오히려 갑의 참여 예술론에서 예술은 사회와 관련되어 모순을 비판하고 사회 문제 해결을 위해 기여해야 한다고 보기 때문에, 을이 갑에게 제기할 수 있는 비판으로 보기 어렵다.

⑤ 을과 같은 입장을 지닌 심미주의자들은 예술은 도덕적 가치와 무관하게 그 자체의 미(美)를 추구해야 하므로 예술 작품이 선을 추구해야 한다고 보지 않을 것이다. 따라서 을이 갑에게 제기할 비판 내용으로 적절하지 않다.

| 1 ② | 2 ⑤ | 3 ⑤ | 4 ③ | 5 ④ |
| 6 ① | 7 ③ | 8 ⑤ | 9 ① | 10 ② |

1 공직자가 지녀야 할 자세 추론

문제분석 갑은 정약용이고, 을은 플라톤이다. 정약용은 목민관은 공적 재산인 공고(公庫)를 아껴 써야 하며, 정해진 법과 절차에 따라 모든 것을 절제하여 사용해야 한다고 강조하였다. 따라서 공직자는 공공의 것을 내 것처럼 절약해야 하며, 정해진 절차에 어긋나지 않게 절제하는 청렴한 생활을 해야 한다. 플라톤은 사회적 역할을 통치자, 수호자, 생산자 계급으로 나누고, 직업 생활을 통해 각 개인의 타고난 성향에 따른 탁월성을 발휘해야 한다고 보았다. 특히 통치자 계층과 수호자 계층의 사욕이나 이익 추구 활동은 공직 활동을 위해 엄격하게 제한되어야 한다고 보았다.

정답찾기 ㄱ. 정약용과 플라톤은 모두 개인의 이익 추구 활동이 공익 실현에 방해되지 않아야 한다고 보았다.

ㄹ. 정약용과 플라톤은 모두 사적인 관계나 친밀함이 공무 수행에 개입될 경우 부정부패의 가능성이 높아지기 때문에 경계해야 한다고 보았다.

오답피하기 ㄴ. 제시문에서 정약용은 목민관의 청렴을 강조하였으며, 사유 재산을 가져서는 안 된다고 주장하지는 않았다.

ㄷ. 공직자는 공직 활동을 통해 사회에 참여하는 사람이다.

2 환경 윤리의 다양한 입장 이해

문제분석 갑은 동물 권리론을 주장하는 레건, 을은 생명의 내재적 가치를 주장하는 테일러, 병은 대지 윤리를 주장한 레오폴드이다. 따라서 A에는 레건은 긍정, 테일러와 레오폴드는 부정의 대답을 할 질문이, B에는 테일러는 긍정, 레오폴드는 부정의 대답을 할 질문이, C에는 테일러가 긍정의 대답을 할 질문이, D에는 레오폴드가 긍정의 대답을 할 질문이 들어가면 된다.

정답찾기 ㄴ. 테일러는 긍정, 레오폴드는 부정의 대답을 할 질문이다. 테일러는 생태계가 아니라 개별 생명체가 내재적 가치를 지닌다고 본다. 테일러에 의하면 생태계를 보전해야 하는 이유는 개별 생명체의 이익을 위해서이다. 반면에 레오폴드는 생태계는 그 자체로 가치가 있으므로 보전을 해야 한다고 본다.

ㄷ. 테일러는 생명체들은 인간의 가치 부여와 관계없이 그 자체로 가치를 지닌다고 본다.

ㄹ. 레오폴드는 도덕 공동체의 범위에 흙, 강물 등 대지를 구성하는 무생물을 포함시킨다.

오답피하기 ㄱ. 갑, 을, 병 모두 긍정의 대답을 할 질문이다.

3 형벌에 대한 공리주의와 응보주의의 입장 비교

문제분석 (가)는 벤담의 입장으로 형벌에 관한 공리주의적 관점을 보여 주고 있다. (나)는 칸트의 입장으로 형벌에 관한 응보주의적 관점을 보여 준다.

정답찾기 ⑤ (나)는 (가)에 비해 응보적 정의 실현 수단으로서의 형벌을 중시하는 정도는 높으며, 형벌의 목적을 범죄 예방에 두는 정도는 낮다. 그리고 형벌이 고통을 주므로 악이라고 보는 정도는 낮다.

오답피하기 ① (나)는 (가)와 달리 형벌의 목적을 응보적 정의의 실현에 두며, 형벌 그 자체를 악으로 보지 않는다.

② (나)는 (가)에 비해 응보적 정의 실현 수단으로서의 형벌을 중시하는 정도는 높다. 그러나 형벌의 목적을 범죄 예방에 두는 정도는 (가)가 (나)보다 높다.

③ (가)는 (나)와 달리 형벌을 범죄 예방과 범죄자 교화의 측면에서 파악하며, 형벌 그 자체는 고통을 주므로 악이라고 본다.

④ 형벌의 목적을 범죄 예방에 두는 정도는 (가)가 (나)보다 높다.

4 상업적 대중문화의 문제점 파악

문제분석 제시문은 아도르노의 주장이다. 아도르노는 현대의 대중문화를 문화 산업으로 보고 있다. 아도르노는 문화 산업은 자본주의 시장 논리와 도구적 이성의 지배를 통해 대중을 무비판적이며 체제 순응적인 인간으로 만들고 문화를 획일화하고 창의성과 상상력을 고갈시킨다고 주장한다.

정답찾기 ③ 시장의 논리는 예술을 상업화하고 이는 예술의 창의성과 다양성을 고갈시킨다고 본 아도르노가 부정의 대답을 할 질문이다.

오답피하기 ① 아도르노는 문화 산업이 예술을 획일화시킨다고 본다.

② 아도르노는 문화 산업이 예술 소비자들의 자율성과 상상력, 적극적 사유를 침해한다고 본다.

④ 아도르노가 주장한 내용에 비추어 추론할 수 있다.

⑤ 아도르노가 주장한 내용에 비추어 볼 때 긍정의 대답을 할 질문이다.

5 국수 대접 모형과 샐러드 그릇 모형 비교

문제분석 갑은 국수 대접 모형의 입장이다. 국수와 고명의 관계와 같이 주류 문화와 비주류를 구분하면서도 각 문화의 정체성 유지 및 조화를 중시한다. 을은 새롭게 들어온 문화는 기존의 문화와 공존할 수 있으며, 이를 통해 문화적 다양성이 실현될 수 있다는 샐러드 그릇 모형의 입장이다. 샐러드 그릇 모형은 개인과 집단은 자신의 문화와 정체성을 보존할 권리가 있으므로 다양한 문화 정체성을 인정해야 한다고 본다.

정답찾기 ④ 샐러드 그릇 모형은 주류와 비주류의 구분이 없이 다양한 문화를 대등하게 존중하려는 입장이다.

오답피하기 ① 동화주의 모형에 해당한다.

② 두 모형은 모두 다양한 문화적 정체성을 인정한다.

③ 용광로 모형에 해당한다.

⑤ 갑이 긍정의 대답을 할 질문이다.

6 엘리아데의 종교관 이해

문제분석 제시문은 엘리아데의 주장이다. 엘리아데는 성은 세속과 떨어져 고립되어 있는 것이 아니며, 현실 세계에 들어와 우리의 체험 대상이 된다고 본다.

정답찾기 ① 첫 번째 관점은 첫 번째 제시문에서 추론할 수 있다. 첫 번째 제시문에서는 비종교인들마저도 실제로는 종교적으로 행동하고 있음을 지적하고 있다.

네 번째 관점과 관련하여 성이 속으로 변하고 속이 성으로 변할 수 있음을 언급하는 세 번째 제시문의 내용, 그리고 성이 모든 사물 속에 두루 퍼져 있음을 지적하는 두 번째 제시문에서 추론할 수 있다.

오답피하기 두 번째 관점은 성이 속으로 변하며 세계의 모든 것에 두루 퍼져 있음을 언급하는 내용에 비추어 잘못된 진술이다.

세 번째 관점은 엘리아데의 주장도 아니고 제시문에서 추론할 수도 없다. 엘리아데는 인간의 종교성을 긍정적으로 파악한다.

7 칸트의 영구 평화론 이해

문제분석 제시문은 칸트의 평화에 대한 입장으로, 칸트는 전쟁이 지속되면 결국 인간은 멸망할 수밖에 없기 때문에 영구 평화로 가기 위해서는 국가 간 주권 보장은 물론 다른 나라에 대한 내정 간섭을 하면 안 된다고 보았다. 따라서 칸트는 국내적으로는 시민의 정책 결정이 가능한 공화제가 도입되어야 하며, 국제적으로는 보편적 우호 관계에 입각한 국제법이 적용되는 국제 연맹이 창설되어 영구 평화를 이룩해야 한다고 주장하였다.

정답찾기 ③ 칸트는 동물과 달리 인간에게는 이성이 있으므로 정치 또한 이성이 적용되는 도덕적 영역이 될 수 있다고 보았다.

오답피하기 ① 칸트는 영구 평화를 위해서는 개별 국가의 주권이 보장되어야 하며 국가 간에는 서로의 내정에 간섭을 하면 안 된다고 주장하였다.

② 칸트는 국가 간 호혜적인 질서를 수립하는 데 국제 연맹이 필요하며 이를 통해 평화가 이루어질 수 있다고 보았다. 따라서 국제 연맹이 강대국만의 이익을 대변할 것이라는 주장은 칸트의 입장이라고 볼 수 없다.

④ 칸트는 개별 국가를 통합하는 세계 정부의 수립을 평화를 실현하기 위한 방안이라고 주장하지 않았다.

⑤ 칸트에게 영구한 평화는 이상적이지만 불가능한 일은 아니기 때문에 영원히 전쟁이 없는 상태에 도달하는 것은 가능하게 된다.

8 소로, 롤스, 간디의 시민 불복종 비교

문제분석 (가)의 갑은 법보다 정의에 대한 존경심에 기초한 시민 불복종을 강조한 소로, 을은 다수의 공유된 정의관에 근거한 시민 불복종을 강조한 롤스, 병은 비폭력과 평화적 방법에 의한 시민 불복종을 강조한 간디이다.

정답찾기 ⑤ 세 사상가 모두 공통적으로 시민 불복종을 정의와 양심을 표현하기 위해 법을 위반하는 행위라고 본다.

오답피하기 ① 롤스는 시민 불복종이 다수에 의해 공유된 정의관에 기초하여 자유로운 협동의 조건이 침해되었을 때, 이를 정당하게 알리는 정치적 행위라고 주장한다.

② 롤스와 간디 모두 시민 불복종이 평화적이며 비폭력적 방법에 의해 이루어져야 한다고 주장한다.

③ 롤스는 시민 불복종이 종교적 신념이나 교리에 기초한 '양심적 거부'와 달리 공동체의 정의감에 호소하는 정치적 행위라고 본다.

④ 세 사상가 모두 시민 불복종에 의한 법적인 처벌을 감수해야 한다고 주장한다.

9 하버마스의 담론 윤리 이해

문제분석 제시문은 하버마스의 주장으로, 그는 규범의 구체적인 내용을 규정하기보다 담론 과정을 통해 규범의 정당성을 확보하는 데 주력하였다. 이를 위해 하버마스는 이성적으로 논의하는 능력을 가진 시민이 사회적 문제를 결정하는 주체가 되어야 한다고 보고 윤리적 의사 결정과 관련하여 의사소통의 합리성을 바탕으로 한 담론 과정을 중시하였다. 따라서 담론 윤리에서는 의사소통의 합리성을 실현하여 합리적 논의를 통해 서로 갈등하는 다양한 의견이 합의에 도달하도록 해야 하며, 이럴 때만이 대화에 참여한 사람들이 합의 결과를 수용할 수 있다고 본다.

정답찾기 ① 의사소통의 합리성을 실현하기 위해서는 타인의 의견을 경청하는 동시에 상대의 의견에 대해 비난이 아닌 합리적 근거를 바탕으로 비판할 수 있어야 하며, 자신의 의견에 대한 모든 물음에 개방적 태도로 답변할 수 있어야 한다.

오답피하기 ② 하버마스는 담론의 과정에서 의견 개진과 관련하여 대화 참여자들에게 어떠한 억압도 있어서는 안 된다고 주장하였다.

③ 담론 윤리에서는 사회적 갈등을 해결하기 위해서는 누구나 공론장에 참여하여 합리적으로 자신의 의견을 개진함으로써 보편적 합의에 이르는 것이 중요하다고 보았다.

④ 하버마스는 시민의 의사가 공적 결정에 올바르게 반영되어야 한다고 주장하며, 이를 위해 시민들은 이성적 논의를 통해 민주적으로 의사를 결정해야 한다고 보았다.

⑤ 담론 윤리에서는 의사소통의 과정에서 인종이나 계급적 편견을 가지고 상대방을 대해서는 안 되며, 자신의 지위를 이용해 상대방을 억압하지 않고 평등한 인간관계를 형성해야 한다고 보았다.

10 정보 사회의 긍정적 측면 파악

문제분석 제시문은 사람들이 인터넷을 활용하면서 나타나는 긍정적인 사회 변화들에 대한 내용이다. 특히 집단 간의 관계 형성이 원만해지고, 공동의 관심사를 매개로 한 새로운 시민적 연결망이 형성되고 있다고 말하고 있다.

정답찾기 ② 제시문에 근거하여 볼 때, 사람들은 인터넷을 활용하여 여론을 형성하기도 하고, 다양한 정치 활동에 참여하기도 하며, 공통의 관심사를 통해 집단을 형성하고 있다. 이런 인터넷을 활용하는 사람들 속에서 참여 민주주의가 발전하는 데 필요한 다양한 요인들이 나타나고 있음을 알 수 있다.

오답피하기 ① 제시문을 근거로 하여 볼 때 인터넷의 발달은 적극적인 사회 참여를 증대시키고 있다.

③ 제시문은 인터넷 공간에서의 자유로운 활동을 긍정적으로 바라보고 있다.

④ 제시문을 통해서 인터넷에서의 인간관계가 이기적으로 나타나고 있다는 내용은 찾기 어렵다.

⑤ 제시문은 정보 접근에 대한 규제를 주장하고 있지는 않다.

1 ④	2 ①	3 ⑤	4 ③	5 ④
6 ③	7 ①	8 ④	9 ②	10 ④

1 의무론과 공리주의의 특징 파악

문제분석 갑은 칸트이고, 을은 벤담이다. 칸트는 우리가 다른 사람을 도우려는 경향성에 따라서 이웃을 돕는 일은 어떤 도덕적 가치도 지니지 않는다고 본다. 그는 우리가 그렇게 행위하는 것이 우리의 의무라는 사실을 인식하고 행위할 경우에만 도덕적 가치가 드러난다고 본다. 벤담은 쾌락과 고통을 행위의 옳고 그름의 기준으로 보고, 쾌락과 행복을 가져다주는 행위는 옳은 행위이고, 고통과 불행을 가져다주는 행위는 그릇된 행위라고 주장한다.

정답찾기 ㄱ. 칸트는 이성적이고 자율적인 인간은 보편적인 도덕 법칙을 인식할 수 있다고 본다.

ㄴ. 벤담은 유용성, 즉 공리의 원리를 도덕과 입법의 원리로 제시한다. 유용성의 원리는 공리주의의 기본 원리로, 행위는 그것이 우리의 행복을 증진시키는 경향을 지니고 있는 정도에 비례하여 옳으며, 고통을 증진시키는 경향을 지니고 있는 정도에 비례하여 그르다는 것이다.

ㄹ. 칸트는 사람들에게 보편적으로 적용 가능한 도덕 법칙이 존재한다고 본다. 벤담은 보편적인 행위의 원칙으로 유용성의 원리를 제시한다.

오답피하기 ㄷ. 행복을 도덕적 행위의 목적으로 간주하는 것은 벤담이다. 칸트는 경향성의 충족으로서 행복을 도덕적 행위의 목적으로 간주하지 않는다.

2 루소, 벤담, 칸트의 형벌관 비교

문제분석 (가)의 갑은 루소, 을은 벤담, 병은 칸트이다. 루소는 사회 계약론의 입장에서 사형제를 승인하고, 칸트는 응보주의(보복법) 입장에서 사형제를 승인한다. 한편, 벤담은 형벌을 예방과 교화의 관점에서 보아야 한다고 주장한다.

정답찾기 ㄱ. 칸트는 벤담의 공리주의 형벌관과 달리, 살인자에 대해 형벌의 양과 질을 결정하는 것은 오직 보복법뿐이라고 주장한다. 따라서 칸트가 벤담에게 제기할 수 있는 비판에 해당한다.

ㄴ. 범죄 예방을 중시하는 벤담의 공리주의 형벌관이 칸트의 응보주의 형벌관에 대해 비판할 수 있는 진술에 해당한다.

오답피하기 ㄷ. 공리주의 형벌관을 주장하는 벤담은 가능한 한 최소 비용으로 형벌로 인한 해악을 방지하는 것이 바람직하다고 주장한다. 따라서 루소가 벤담에게 제기할 적절한 비판이 아니다.

ㄹ. 루소는 살인자를 사회 계약을 위반한 국가의 적으로 보았기 때문에 시민 사회의 안전(또는 국가의 보존)을 유지하기 위해 살인자에 대한 사형이 필요하다고 주장한다. 따라서 벤담과 칸트가 루소에게 제기할 수 있는 적절한 비판이라고 보기 어렵다.

3 공자와 칼뱅의 직업관 비교

문제분석 갑은 공자이고, 을은 칼뱅이다. 공자는 도덕적인 상황에서는 부귀가 정당한 것이지만, 도덕적이지 않은 상황에서 부귀는 수치스러운 것이라고 주장한다. 칼뱅은 개개인에게 주어진 직업이 신의 소명이라고 주장한다.

정답찾기 ⑤ 공자는 비도덕적인 방법으로 경제적 이익을 추구하는 것은 반대하지만, 도덕적인 방법을 통해 경제적 이익을 추구하는 것은 반대하지 않는다. 칼뱅도 근면, 절약, 청렴 등의 덕목을 실천해 경제적인 이익을 추구하는 것을 인정하는 입장이다.

오답피하기 ① 공자는 천하에 도(道)가 있을 때에는 가난하고 비천한 것이 부끄러운 일이라고 주장하고 있으므로 가난한 사람이 언제나 선하다고 볼 수 없다.

② 칼뱅은 그리스도교 사상가로 신에 의한 구원을 궁극적 목적으로 보기 때문에 직업 노동을 통해 성공하는 것을 궁극적 목적으로 강조하지 않는다.

③ 칼뱅은 직업 생활에서 사치나 향락을 반대하고 금욕적 태도의 실천을 강조하였다.

④ 칼뱅은 직업을 신이 명령한 것으로 생각했기 때문에 현세적 직업 노동에서 완전히 벗어나야 한다고 주장하지 않는다.

4 사형 제도에 대한 칸트, 베카리아, 루소의 입장 비교

문제분석 갑은 칸트, 을은 베카리아, 병은 루소이다. 칸트는 형벌의 본질은 응보에 있으며, 응보주의에 따른 사형은 인간을 다른 목적을 위한 수단으로 취급하는 것이 아님을 주장한다. 베카리아는 사형 제도는 범죄 예방이라는 형벌의 목적 달성에 그다지 효율적이지 못함을 주장한다. 루소는 사형은 살인을 저지름으로써 계약을 위반한 범죄자에 대한 정당한 처벌이라고 주장한다.

정답찾기 ㄷ. 베카리아는 사형은 종신 노역형에 비해 범죄 예방 효과가 떨어진다고 본다.

ㄹ. 루소는 살인자는 법률적 인격체가 아니라 단순한 인간에 불과한 존재이며, 국가의 적이므로 시민의 자격을 박탈해야 한다고 본다.

오답피하기 ㄱ. 범죄와 형벌 사이의 비례가 있어야 한다는 원칙에는 칸트와 베카리아 모두 동의한다.

ㄴ. 베카리아는 형벌의 기초는 사회 계약의 약정, 즉 법률에 있다고 본다. 따라서 사회 계약의 위반자에 대한 처벌권은 법률의 집행권을 위임받은 국가에 의해 행사되어야 한다. 루소는 범죄는 사회 계약을 위반한 것이므로 국가가 범죄자를 처벌해야 한다고 주장한다.

5 니부어의 사회 윤리적 관점 이해

문제분석 제시문은 집단 속에서 이기적으로 되어가는 인간의 성향과 집단 간의 힘의 불균등한 분배로 인해 부정의가 지속된다고 본 니부어의 주장이다. 그는 사회 부정의를 해결하기 위해서는 선의지의 통제를 받는 정치적 강제력이 필요하다고 보았다.

정답찾기 ㄱ. 니부어에 따르면 집단 속에서는 개인들의 이기심이 합쳐져 더 큰 이기심으로 나타난다. 따라서 사회 구조의 도덕성은 개인의 도덕성에 영향을 미친다고 볼 수 있다.

ㄷ. 니부어에 따르면 집단 간의 관계는 각 집단이 소유하고 있는 힘

의 비례에 의해 결정된다. 따라서 집단 간 힘의 불균형은 사회의 부정의를 발생시키는 요인이 될 수 있다.

ㄹ. 니부어에 따르면 사회 정의를 실현하기 위해 강제력 등 비합리적인 수단이 필요하다는 것을 인정하면서도 이러한 수단은 선의지의 통제를 받아야 한다고 강조하였다.

오답피하기 ㄴ. 니부어에 따르면 개인의 도덕성만으로는 사회 정의를 실현하는 것이 어렵기 때문에 정치적 강제력의 개입이 필요하다.

6 기업의 사회적 책임 이해

문제분석 갑과 을은 모두 기업이 사회적 책임을 이행해야 한다는 데에는 동의한다. 하지만 갑은 기업의 사회적 책임에는 경제적 책임과 더불어 윤리적 책임이 포함된다고 보는 반면, 을은 사회적 책임은 곧 경제적 책임만을 의미한다고 본다. 따라서 기업의 사회적 책임과 관련해 그 범위가 어디까지인지, 즉 경제적 책임을 중심으로 그 대상을 한정해야 하는지가 주된 쟁점이 되고 있다.

정답찾기 ③ 갑은 기업의 사회적 책임에는 사회에 대한 윤리적 책임이 포함되어야 한다고 보며, 을은 주주들의 이윤 극대화를 위한 책임에만 기업의 사회적 책임을 한정해야 한다고 본다. 따라서 토론의 핵심 쟁점으로 적합하다.

오답피하기 ① 기업이 사회적 책임을 이행해야 하는지에 대해서는 갑과 을이 모두 동의하는 것이므로 토론의 핵심 쟁점으로 적합하지 않다.
② 기업의 윤리 경영이 기업의 이익 추구에 도움이 되는지에 관해서는 제시문에 직접적으로 언급된 내용이 없으므로 토론의 핵심 쟁점으로 보기 어렵다.
④ 제시문에서는 기업의 이윤 추구와 관련된 사회적 책임에 대해서는 이야기하고 있지만, 법의 준수와 관련해서는 논의가 전개되지 않고 있다.
⑤ 갑과 을은 기업의 사회적 책임의 대상과 범위가 어디까지여야 하는지에 대해 주로 이야기하고 있다. 기업에게 윤리적 책임의 이행을 요구할 권한이 누구에게 있는지는 주된 논의 내용에는 포함되어 있지 않다.

7 메타 윤리학과 실천 윤리학 비교

문제분석 (가)는 메타 윤리학, (나)는 실천 윤리학의 입장이다. 메타 윤리학은 도덕적 실천과 관련된 언어나 명제를 분석하는 것을 주요 핵심 과제로 삼는다. 반면 실천 윤리학은 이론 규범 윤리학을 토대로 현실에서 적용 가능한 실천적 규범과 원칙을 탐구하여 이를 구체적인 삶의 문제에 적용하는 것을 주요 핵심 과제로 삼는다.

정답찾기 ㄱ. 메타 윤리학은 윤리적 용어 및 개념의 의미 분석을 주요 핵심 과제로 삼는다.
ㄴ. 실천 윤리학은 이론 규범 윤리학을 적용해 현실적으로 받아들여질 수 있는 구체적인 해결 방안에 대해 탐구하는 것을 주요 핵심 과제로 삼는다.

오답피하기 ㄷ. 기술 윤리학의 입장이다.
ㄹ. 삶에서 추구해야 할 규범을 제시하는 것은 규범 윤리학의 특징이다.

8 예술에 대한 도덕주의와 심미주의의 관점 차이 파악

문제분석 갑은 도덕주의 입장에서 예술을 바라본 플라톤이고, 을은 심미주의 입장에서 예술을 바라본 스핑건이다. 도덕주의는 예술이 도덕적 교훈이나 모범을 제공하여 인간의 올바른 품성 형성에 기여해야 한다고 본다. 심미주의는 미적 가치와 도덕적 가치는 무관하기 때문에 윤리가 예술에 관여해서는 안 된다는 입장이다.

정답찾기 ④ 을은 도덕주의 입장을 지닌 갑에 비해 예술이 지닌 도덕적 가치를 중시하지 않는다. 심미주의적 입장을 지니고 있기 때문이다. 그러므로 X 좌표는 낮음에 위치해야 한다. 심미주의 입장을 지닌 을은 갑에 비해 예술의 심미성을 더 중시한다. 그러므로 Y 좌표는 높음에 위치해야 한다. 을은 갑에 비해 예술가의 사회 참여를 중시하지 않는다. 도덕주의는 예술의 사회적 영향력을 강조하여 참여 예술론을 지지하지만, 심미주의는 예술의 자율성과 독창성을 강조하여 순수 예술론을 지지한다. 그러므로 Z 좌표에는 낮음에 위치해야 한다. X 좌표는 낮음, Y 좌표는 높음, Z 좌표는 낮음에 해당되는 것은 ㉣이다.

오답피하기 ①, ②, ③, ⑤ 모두 을이 갑에 비해 갖는 상대적 특징과는 다른 특징들이 포함되어 있다.

9 장자와 데카르트의 자연관 비교

문제분석 (가)의 갑은 장자, 을은 데카르트이다. 도가의 장자는 자연의 순리에 따르는 삶을 강조하여 자연에 대한 인위적 조작과 통제를 비판한다. 데카르트는 자연 세계를 기계론적 관점에서 파악하며, 인간에게 자연의 소유자가 될 것을 주장한다.

정답찾기 ㄱ. 장자는 자연의 본성과 질서를 따를 것을 강조하기 때문에 자연에 대한 인간의 통제나 억압에 반대한다.
ㄹ. 데카르트는 자연을 단순한 물질로 환원할 수 있다는 환원론적 입장을 채택한다.

오답피하기 ㄴ. 데카르트는 인간과 자연을 분리하여 독립된 것으로 보는 이분법적 관점과 기계론적 관점을 견지한다.
ㄷ. 데카르트는 자연을 자동 기계로 파악하며, 인간의 효용을 위해 자연을 지배해야 한다고 주장하므로 자연의 내재적 가치를 인정하지 않는다.

10 맹자의 정치사상 이해

문제분석 제시문은 맹자의 주장이다. 맹자는 군주가 인(仁)과 의(義)에 기반을 둔 왕도(王道) 정치를 펴야 하며, 백성들을 위하지 않고 덕이 없는 군주는 바꿀 수 있다고 주장하였다.

정답찾기 ④ 맹자는 군주가 백성의 뜻을 살피지 못할 때에는 그 군주를 바꿀 수 있다는 역성혁명(易姓革命)을 주장하였다.

오답피하기 ① 맹자는 군주가 올바른 군주가 되기 위해서는 백성의 마음을 얻어야 한다고 주장하였다.
② 맹자는 군주가 먼저 군자다운 인격을 갖춘 후에 백성을 다스릴 것을 강조하였다.
③ 맹자는 군주가 백성에게 권세로 위압하여 일방적 명령을 강요하지 말아야 한다고 주장하였다.
⑤ 맹자는 왕도 정치를 실현하기 위해서는 무엇보다 먼저 백성의 생업을 보장해 주어야 한다고 주장하였다.